바람은 불고 싶은 데로 분다

바람은 불고 싶은 데로 분다

2017년 11월 25일 1판 1쇄 인쇄
2017년 11월 25일 1판 1쇄 펴냄

지은이 이선우
펴낸이 정소성
편집 성유빈, 정미라
디자인 한시내
관리·영업 이승순, 박민지
펴낸곳 (주)실천문학
등록 10-1221호(1995.10.26)
주소 서울특별시 성북구 보문로 82-3, 801호(보문동 4가, 통광빌딩)
전화 322-2161~5
팩스 322-2166
홈페이지 www.silcheon.com

ISBN 978-89-392-3016-3

본 사업은 인천광역시, (재)인천문화재단, 한국문화예술위원회 지역협력형사업으로
선정되어 발간하였습니다.

이 도서의 국립중앙도서관 출판시도서목록(CIP)은 e-CIP홈페이지(http://www.nl.go.kr/ecip)와
국가자료공동목록시스템(http://www.nl.go.kr/kolisnet)에서 이용하실 수 있습니다.
(CIP제어번호:CIP2017031278)

바람은 불고 싶은 데로 분다

이선우

차례

동거

남자는 젓가락을 쓰지 않았다. 남자의 숟가락질은 늘 괴이하고 요란했다. 숟가락으로 반찬을 갖다 먹느라 밥상 위는 떨어진 반찬으로 가득했다. 아이는 그런 모습이 더러워 맨밥을 끼적거리다 숟가락을 놓았다. 남자가 충혈된 눈으로 자신을 뚫어지게 쳐다보고 있는 것이 느껴져 아이는 의식적으로 손을 뻗어 빈 숟가락을 다시 입에 넣고 반복해 핥았다. 아이는 남자가 잠잘 때 내는 이갈이 소리를 들을 때처럼 소름이 돋았다. 아이는 겁에 질린 눈초리를 들키지 않으려 얼른 밥그릇으로 시선을 깔았다.

아이는 언제부턴지 아빠와 저녁을 먹을 수 없었다. 남자는 아빠가 닭장에서 돌아오기 전에 밥을 먹어치우게 했다. 남자의 이상한 질투였다. 아빠를 소외시키고 자신이 새로운 가장이라도 된 듯 밥상 앞에서 자주 아빠 놀이를 했다.

"자, 이것도 먹고…… 골고루 많이 먹어. 나만 믿고 열심히 공부나 해라."

남자가 아이의 머리를 쓰다듬었다. 아이는 머리를 목 쪽으로 깊숙이 밀어 넣으며 어깨를 움츠렸다. 남자가 숟가락으로 밥상을 내리치는 바람에 컵 속의 물이 파르르 떨렸다. 아이 눈에 고인 눈물도 파르르 떨렸다.

"잘 해 주고 싶은데 도대체 왜 그러니?"

남자는 아이의 머리에 꿀밤을 주었다. 아이가 남자를 째려보다가 일어서려고 움찔거리자 남자는 아이의 어깨를 거칠게 찍어 눌렀다. 아이는 공기 빠진 풍선처럼 푹 주저앉았다.

"다 처먹고 일어나."

남자는 풀어헤친 셔츠를 벗어 던지고 한층 구겨진 얼굴로 반찬에 숟가락을 들락거리며 더 세게 휘저었다. 아이의 엄마는 밥상에 수북이 쌓인 반찬을 그러모아 개수대에 버렸다. 남자는 반찬을 버린 아이의 엄마를 걷어찼다.

"내가 먹던 반찬이 그렇게도 더러워?"

옆으로 쓰러졌던 아이 엄마는 아이 눈치를 보며 일어나 밥상 가까이로 엉덩이를 끌었다. 곁에 있던 아이의 눈과 손에 힘이 들어갔다.

남자는 다시 숟가락을 놀렸다. 아이의 엄마는 남자를 의식한 듯 다시 밥상 위에 흩어진 반찬을 그러모아 게걸스럽게 주워 삼켰다. 아이는 그런 엄마가 남자보다 더 괴이해 보였다. 아이는 힘이 들어간 눈으로 그만두라는 듯 엄마를 노려보았다. 주춤하던 아이의 엄마는 남자와 눈이 마주치자 그만두지 못하고 다시 숟가락을 입으로 천천히 가져갔다. 아이의 얼굴은 곧 울음이 터져 나올 듯 일그러졌다. 아이의 엄마는 아이의 눈빛을 피하고 계속 씹어 삼켰다. 엄마를 닮은 커다란 아이의 눈이 화로 가득 찼다. 엄마는 남자와 눈이 마주칠 때마다 웃음기를 띠다가 남자가 딴 짓을 하면 벌어진 입매에 띤 웃음기를 지웠다. 남자가 처음 왔을 때는 아이의 엄마도 남자도 저런 얼굴이 아니었다.

"예전에 한 동네에서 살던 아저씬데 우리 집 근처 공사장에서 일하게 되셨대. 방세라도 받아 보태라고 사정하네요. 당분간 한집에 살게 됐어요."

엄마의 설명은 간단명료했다. 엄마는 남자 눈치도, 아빠 눈치도 살폈다. 아빠는 갑자기 찾아온 예상치 못한 손님을 맞아 멍해 있었다. 아이는 속으로 방문객이 이모나 고모 같은 친척이었으면 더 좋았을 거라고 생각했다.

엄마와 아빠는 결혼식도 올리지 않았다. 그래서 서로에게 친척이 있는 지 없는 지도 몰랐고 설령 있다고 해도 만난 적도 없었다. 멀쩡한 사람이 이렇게 비좁은 집에서 세를 들어 살 생각을 하다니, 아이는 미심쩍은 생각이 들었지만 집에 누군가가 방문한 게 처음이라 남자와 한집에 살게 됐다는 현실에 설렜다.

남들은 엄마가 남의 말에 정신 줄을 놓고 바라볼 때가 많다고 모자란 여자라고 했다. 하지만 아이는 밥도 잘하고 빨래도 잘하고 잘 웃는 엄마한테 사람들이 왜 그러는지 이해할 수 없었다. 남자는 아빠보다 두 살 아래였다. 남자는 이따금씩 통닭을 시켰고, 햄버거를 사 왔고, 한 아름이나 되는 수박을 사 왔다. 통이 크고 친절했다. 남자는 통닭을 먹다가도, 햄버거와 수박을 먹다가도 당분간 머무를 수도, 내일이라도 일만 잘 풀리면 갈 수도 있을 것이라고 말했다. 아이에게는 남자의 말이 아쉬움으로 다가왔다. 남자의 첫인상을 미심쩍게 본 것이 미안했고 후회스러웠다. 아이는 내일이라도 남자가 가면 어쩌나 걱정하며 조금만 더 머물렀으면 하는 이상한 바람이 생겼다. 아이는 비좁은 집이 문제지만 뭐, 그것도 별 문제가 안 될 거라고 생각했다. 아이는 엄마와 아빠랑 같은 방을 쓰고 자신의 방은 남자에게 빌려줘도 괜찮다고 스스로 마음을 바꾸려고 애썼다. 그러나 남자는 아이 공부방을 마다하고 거실에서 머물렀다.

아이의 아빠가 닭장을 다니며 번 돈으로 산 빌라의 반지하 방을 가족은 참 좋아했다. 남자는 작은 키에 몸은 땅땅하고 목소리가 컸다. 말투는 말로 먹고사는 사람처럼 똑부러졌다. 밖에 나가면 누구와도 잘 어울려 집 앞의 하니슈퍼 주인도, 유라헤어 원장도, 옛날치킨과 대박부동산 사장도 남자만 나타나면 오랜 단골처럼 반겼다. 남자는 자신의 나이와 비교해 모두에게 형님이나 아우님이라고 불렀다. 어쩌다 남자랑 산책을 나가면 아이의 어깨를 감싸고 걸었다. 아이는 토끼처럼 온순하고 남에게 대꾸질 한번 못하는 아빠만 보다가 씩씩하고 자상한 남자와 걸으면 친구들 앞에서도 어깨가 쭉 펴졌다. 아이는 남자에게 아저씨라고 불렀다. 남자는 아빠보다 두 살이 아래라고 아빠를 형님이라고 불렀다. 아이의 아빠는 아이의 엄마가 생활비에 보탠다고 남자에게 세놓은 것을 좋아하지 않는 눈치였지만 별 불평도 하지 않았다. 예전에 같은 동네에 살았고 엄마의 지인이라는 남자를 아이의 아빠는 알지 못했다. 아빠는 예전에 한번쯤 마주쳤었지만 지금 기억하지 못하는 것이라고 미루어 짐작할 뿐이었다. 아이 아빠는 남을 의심할 줄 모르는 사람이었다.

집에 남자가 온 뒤로 함께 마을을 산책할 때 아이 가족은 예전과 달리 기를 펴고 걸었다. 그 당시에는 남자 때문에 밥 먹는 것까지 눈치를 보게 되리라고는 생각조차 하지 못했다.

아이는 맨밥을 욱여넣고 일어나 창가로 갔다. 또각또각, 구두 소리가 들리더니 유리창 밖으로 여자 종아리가 빠르게 아이 눈에서 사라졌다. 아이는 남자가 나서 쌓였던 쓰레기를 처리한 뒤로 행인의 종아리가 잘 보이는 것이 무엇보다 좋았다.

남자의 거친 행동이 있었던 날은 창밖으로 지나가는 종아리만 봐도 안심이 되곤 했다.

아이의 집은 골목 첫 집이고 골목은 좁아서 쓰레기 수거차가 들어가지 못했다. 쓰레기를 모아 수거해 가는 곳이 아이의 집 창문 옆이었다. 그곳은 쓰레기종량제 봉투에 담은 것들의 집합소이지만 사람들이 그것들만 버릴 리 없었다. 다리가 꺾인 밥상, 반으로 꺾인 가죽 부츠, 일회용 기저귀, 우그러진 검정 우산과 헤진 운동화, 몸통만 남은 마네킹과 찢어진 가방이 잠자고 일어나면 더 높게 쌓여 있었다. 아이의 가족이 사는 동네는 재개발 지역이었다. 동네 사람들은 동네를 떠나며 그곳에서의 모든 흔적들을 아이의 집 유리창 옆에 버리고 떠났다. 아직 떠날 생각이 없는 사람들도 쓰레기를 내다 버렸다. 쓰레기는 나날이 늘어났다. 쓰레기 수거차는 종량제 봉투에 버려진 쓰레기 외에 일반 쓰레기는 수거해 가지 않았다. 동사무소에서 '규격봉투 외 일반 쓰레기 투기 금지' 라는 안내문을 붙였지만 사람들은 아랑곳하지 않았다.

"누가 이런 짓을 하는지…… 나쁜 사람들."

아빠는 몇 번 불만을 토로했지만 누구도 듣지 못할 정도의 작은 목소리였다. 사람들은 아빠의 불만을 동네 개 짖는 소리만큼으로도 듣지 않았다. 아이네 집 창은 쌓인 쓰레기 때문에 점차 지나가는 사람들 종아리조차 보이지 않았다. 엄마 역시 쓰레기 더미 주위를 돌며 누구든 들으라는 듯 폭언을 했지만 듣는 사람이 없을 때만 소리치고 욕을 했다.

엄마는 남과 말할 때 무병 앓는 사람처럼 넋을 놓았다. 아빠는 왜소한 몸집에 토끼처럼 작은 입을 오물거리며 말했다. 두 사람 다 권위와는 거리가 멀었다. 재개발 예고가 있은 뒤로 아이 집 담에는 아빠가 닭 대가리를 자를 때 튄 피 같은 붉은 글자가 주르륵 흘러 내렸다. 아이 집 벽에 생긴 균열처럼 재개발 찬반에 대한 마을사람들의 의견이 분분하고 아이 집 창과 담에 쓰레기와 낙서로 아이 가족이 골치를 앓고 있을 때 남자가 나타난 것이다.

"한 사람만 겁주면 삽시간에 소문이 퍼져 누구도 쓰레기를 버리지 못 하게 될 거야."

남자의 눈빛이 사납게 빛났다. 아이는 달라진 남자의 눈빛이 낯설었다. 그렇지만 그 뒤로도 한동안 남자는 친절했다. 남자는 이상하게도 쓰레기 무단투기범 잡는 일은 아무것도 아니란 말만 반복할 뿐 범인을 잡는 노력은 하지 않았다.

아빠는 어느 날부터 쓰레기 더미에 무심해졌다. 남자에게 그 일을 떠맡기고 무심해졌다고 믿던 아이는 아빠가 흘린 눈물을 보며 자신의 생각이 틀렸다는 걸 알았다. 텔레비전에서 떠들던 조류독감을 아빠가 일하는 닭장도 피하지 못했던 것이다. 아빠는 얼굴이 까매져서 집으로 돌아왔다.

"구덩이 속으로 모두 던져 버렸어. 차라리 눈을 감았어."

눈물을 글썽거리는 아빠를 보며 아이도 눈을 감았다. 아빠는 힘든 상황을 눈으로 봐 뻔히 알기 때문에 밀린 월급에 대한 불만을 닭집 주인에게 재촉하지 못했다고 했다.

작은 야산이 시작되는 곳에 아빠가 일하는 닭장이 있었다. 아이는 야산에 묻혔다는 닭들이 날개를 펼치며 날아오르는 듯했다. 한 마리가 울기 시작하면서 모든 닭들이 소리 높여 우는 듯 닭 울음소리가 아이의 귓속에 꽉 찼다.

꾹 꾹 꾹.

아이 귀에 울음소리가 아니라 닭이 말하는 것처럼 들렸다. 냄새난다고 코를 틀어막고 눈길조차 주지 않던 아이에게 너무했다고 따져 묻는 듯 들렸다.

"미안해. 제대로 앉지도, 눕지도 못하고 매일 알을 낳느라 고단했지?"

"꾹 꾹 꾹……."

널 이해해. 아이는 닭들이 그렇게 대답하는 듯 들렸다. 그리고 하늘 높이 날아오를 듯 푸드덕거리다 날아오르지 못한 채 바닥으로 사뿐히 내려앉았다.

"주인의 힘든 상황을 눈으로 봐 뻔히 아는데 어떻게 재촉을 하겠어."

아빠는 월급을 제대로 가져오지 못 한 것은 조류독감 때문이었다고 했다. 다음날 남자는 아빠를 제치고 닭장으로 뛰어갔다. 남자가 닭장 주인을 만난 다음날 아빠는 거짓말처럼 밀린 세 달치 월급을 받아왔다. 그동안 밀린 월급에 대한 사과도 받았다고 의아해 했다. 아빠는 누구에게 사과를 받아 본 일이 없었으므로 집에 와서도 닭장 주인에게 오히려 미안한 마음을 감추지 못했다.

"어떻게 했기에 밀린 월급에 사과까지……."

아이의 아빠가 묻는 말에 남자는 자신만의 비법이 있다는 말만 하곤 입을 다물었다. 아빠는 눈치만 볼 뿐 더 묻지 못했다.

"거봐요. 생활비도 벌고 우리도 도와주니 좋잖아요? 지금 보니 같이 살길 잘 했네요."

엄마는 남자를 끌어들인 자신의 판단이 잘못된 것이 아니라는 것이 증명이라도 된 듯 조금 흥분했다. 아이는 창 쪽으로 고개를 돌려 이왕이면 냄새나는 쓰레기 더미까지 해결해 주면 좋겠다는 생각을 하는데 그때 마침 엄마가 손가락으로 창문 밖 쓰레기 더미를 가리키며 남자에게 사정했다.

"저 골칫덩어리만 어떻게 해 주지. 이 뜨거운 여름에 쓰레기 냄새가 역겨워 창문을 열 수가 있어야지요."

엄마의 말에 의미심장한 얼굴을 하던 남자는 며칠 뒤 범인을 잡았다. 어둠이 깔릴 즈음, 남자에게 덜미를 잡힌 범인은 부동산 사장이었다.

"형님, 미안합니다. 난 몇 번 안 버렸어요."

사장은 겁먹은 얼굴로 평소 아우님이라 부르던 것도 까먹은 듯 남자에게 형님, 형님 했다. 남자는 범인이 남자든 여자든 상관없다고 했다. 남자는 누구든 한 사람 제대로 겁주면 자신이 무서운 사람이라는 소문이 곧 퍼져 문제를 해결하기 수월해질 것이라고 했다. 남자는 옷을 벗어 팽개쳤다. 남자 등에는 몇 바퀴 몸을 비틀고 하늘로 승천하는 용 문신이 그려져 있었다. 남자는 사장의 멱살을 잡고 공중으로 들어 올렸다.

"내 손에 죽고 싶지 않으면 쌓여 있는 쓰레기 내일 중으로 다 치워놔."

키 작고 땅땅한 남자에게서 무서운 괴력이 나왔다.

아이와 아빠와 엄마는 남자에게서 나온 괴력에 놀라 서로 잡은 손에 힘을 주고 꼼짝 못 하고 바라봤다. 아빠의 작은 입모양이 와 하고 벌어졌다. 아빠가 해결하지 못하는 것을 척척 해결해 주는 남자가 아빠도 든든한 듯 보였다. 이상하게도 아이는 아빠, 엄마와 달리 안도감보다 알 수 없는 불안이 밀려왔다.

아침 일찍 2.5톤 트럭이 집 앞에 나타나 부동산 사장의 지시에 따라 부산하게 쓰레기를 싣고 사라졌다. 쓰레기를 몽땅 치운 뒤로 버리는 양이 줄기 시작했다. 깨끗하게 치운 곳에 차마 쓰레기를 버릴 수 없어서인지 가끔 남자가 웃옷을 벗고 문신을 드러내며 서 있어서인지 쓰레기는 점차 사라져 갔다.

동네 이곳저곳에 재개발 결사반대 플래카드가 걸리고 벽마다 붉은 글씨의 구호가 가득 했다. 아이 집 벽도 구호로 뒤덮였다. 며칠에 한 번 마을 회관에서 재개발 설명회와 발전 협의회가 열렸다. 아빠와 엄마는 설명회에 다녀올 때마다 재개발 설명회에서 들은 말이 무슨 뜻인지 알아듣지 못하겠다고 불만했다. 그 뒤로 언제부턴가 남자가 아빠나 엄마 대신 설명회에 나가기 시작했다. 다녀오면 아빠와 엄마는 남자 주변에 모여 앉아 그가 전하는 말을 들었다. 엄마가 맡아서 관리하던 생활비를 남자한테 맡긴 것도 그 즈음이었다. 남자는 자신이 뭐든 해결하고 싸게 살 수 있다고 했고 실제로 싸게 사왔다. 아빠는 작은 입을 꾹 다물고 고개를 숙였다. 얼마 후 남자는 아이가 사는 집을 자신에게 넘기라고 했다. 그것도 오래 전 아빠가 이 집을 살 때 가격으로 넘기라는 거였다. 재개발되려면 시간이 오래 걸릴 것이니 그 돈으로 작은 아파트 전세로 가 편히 사는 것이 좋을 것이라는 이상한 말을 했다. 남자의 말은 협박에 가까웠다. 아빠는 화가 나 소리쳤지만 생각만큼 목소리가 크게 나오지 않았다.

"당장 이 집에서 나가줘요. 어떻게 장만한 집인데."

아빠의 어눌한 말이 끝나자마자 남자는 아빠의 뺨을 후려쳤다. 아빠는 냉장고를 들이박고 쓰러졌다.

"어디서 까불어."

짧은 한마디에 아이와 엄마는 꼼짝 못 하고 아빠를 일으킬 엄두도 못낸 채 서서 바라보기만 했다. 아빠는 몸을 떨었다. 아이의 눈에 남자는 알던 사람에서 낯선 사람으로 바뀌어 가고 있었다. 아빠는 그날 이후 눈에 띄게 기가 죽어 갔다. 남자는 그때부터 대놓고 집안을 휘둘렀다. 남자는 엄마에게도 욕설과 폭력을 휘둘렀다. 아이는 엄마가 남자의 협박이 두려워 꼼짝 못 하고 끌려가는 것이라 믿고 싶었다. 며칠 전에도 남자는 아빠를 밖으로 끌고 나가려 했다. 아빠는 저항하며 당장 내 집에서 나가라고 몸부림을 쳤지만 남자에게 번쩍 들려 나갔다가 온 뒤로 다리를 절룩거렸다. 남자는 가장인 아빠가 겁에 질리면 아이와 엄마도 저절로 굴복시킬 수 있다는 생각으로 남자가 쓰레기 현행범을 잡을 때 썼던 방식을 아이의 가족들에게도 써먹는 듯 했다.

아이는 초조하게 시계를 쳐다봤다. 지금쯤 아빠는 버스로 다섯 정거장이 넘는 거리를 목 긴 장화를 신고 터덜거리며 걸어올 것이다. 교통비를 아끼려고 걸어온다고 했지만 집에 들어온들 아빠가 마음 놓고 쉴 수 있는 공간은 없었다. 남자가 돌변한 뒤로 아빠에게 집은 잠을 자기 위한 곳으로 전락해 버린 지 오래였다. 아빠는 언제나 장화를 신고 다녔다. 무릎까지 올라오는 검은 장화 때문에 아빠의 다리가 더 짧아 보였다.

"덥지도 않아?"

언젠가 아이는 아빠가 벗어놓은 장화를 신었는데 장화 속이 땀으로 흥건해서 아빠에게 물었다.

"아니, 작업복에는 장화가 편하고 어울려."

아이는 가끔 아빠 장화 속에 한동안 휴지를 구겨 넣었다 뺐다. 아빠는 장화에 발을 넣고 보송보송 해 졌다고 아이만 볼 수 있도록 웃어 주었다.

아빠는 지금쯤이면 닭장을 나와 숨을 헐떡이며 언덕을 올라오고 있을 것이다. 넓은 열무밭을 지나 인도까지 차지한 간판집을 지나 만두집과 부동산, 꽃가게와 문방구가 있는 건물을 지나고 있을 것이다. 아이는 아빠를 기다리기도, 기다리지 않기도 했다. 남자가 아이에게 보내는 음흉한 눈빛을 보며 아이는 아빠가 빨리 돌아오기를 기다렸지만 아빠가 돌아온다 해도 달라질 것이 없다는 것도 알고 있었다. 아이는 그것이 더 무서웠다. 간혹 아빠가 불평 섞인 말을 던지면 깊은 밤 남자에게 끌려 나갔다. 아이는 아빠가 매 맞는 것을 더는 보기 싫어 차라리 돌아오지 않기를 바랐지만 아빠는 항상 다시 돌아왔다. 남자의 명령으로 저녁을 일찍 먹은 날에는 아빠는 닭똥 묻은 작업복을 빨고 싱크대 가까이에 앉아 혼자 저녁을 먹었다. 토끼 같은 작은 입을 오물거리며 오래 먹었지만 아빠가 먹어 치운 반찬은 거의 없었다. 아빠는 밥을 먹고 수돗물을 가늘게 틀어 밥공기와 젓가락을 닦아 엎어 놓고 벽을 보고 누워 눈을 감지만 집을 팔라는 남자의 회유와 협박이 한참 이어져 쉽게 잠들지 못했다.

'아빠가 언제쯤이면 슈퍼맨처럼 남자의 턱을 향해 주먹을 날릴까?'

아이는 그런 날을 기다리기보다는 자신이 태권도를 배워 이단 옆차기를 날리는 편이 빠를 것이라 생각하며 잠이 들었다.

아이는 집으로 가는 대신 장화 신고 걷는 아빠 걸음을 흉내 내며 닭장 가는 길로 접어들었다. 아이는 집에 돌아갔을 때 남자가 가방을 뒤척거리며 뭘 배웠냐고 묻는 것이 싫었다. 아이는 4학년으로 올라온 뒤 어려워진 학습 때문에 보습학원에 다니고 싶었지만 태권도학원을 선택했다. 남자가 두 군데나 다니는 것은 어림없다고 성깔을 부렸기 때문이었다. 남자는 보호자인 양 매일 아이의 학습을 점검하고 가르치려 했지만 아이는 남자의 속내를 잘 알고 있기 때문에 자신을 더듬는 남자를 피해 숙제는 학교에서 끝마쳤다.

"닭장 사장을 만나 월급을 올려 달라고 담판을 내야겠어. 생활비가 빠듯하단 말이야."

남자는 살림하는 주부가 남편에게 바가지를 긁듯 말했다. 아이는 태권도 학원비도 남자에게 타야 한다는 것이 죽기보다 싫었지만 참았다. 이단 옆차기로 남자를 집에서 쫓아낼 날이 곧 올 거라고 생각하면서…….

아이는 닭장이 가까워질수록 닭똥 냄새에 구역질이 나 손가락으로 집게를 만들어 코를 틀어막았다. 아이는 이런 곳에서 쉬지도 않고 일해서 받은 월급을 남자에게 빼앗기는 아빠에게 화가 났다. 아이를 보고 아빠가 달려 나왔다. 아빠는 아이에게 닭장 청소 끝나고 좀 쉬려던 참이라고 했다.

"어서 와. 닭똥 냄새가 죽기보다 싫다더니 왜 왔어?"

아빠는 양팔을 벌리고 아이에게 다가왔다. 오물 범벅이 될 옷이라며 인근 아파트 수거함에서 주워 입은 옷 때문에 양팔을 벌리고 선 허수아비같이 보였다. 아이는 아빠를 보자마자 눈물이 고였다. 말을 하면 울먹일 테고 아빠가 속상할 테니 여전히 코를 막고 선 채 아무 말 하지 않았다.

"탈모기가 고장 나 못 쓰게 됐는데…… 고장 난 세탁기로 닭털 뽑는 기계를 만들었어. 주인한테 칭찬 받았어. 돈 안 들이고 탈모기 장만했다고."

아빠는 작은 입을 놀려 말하고 웃었다. 엉성하게 틈새가 벌어진 앞니가 더 벌어져 보였다.

"세탁기 회전판에 고무 탈모 봉을 달았는데 볼래?"

탈모기는 아주 컸다. 사람이 들어갈 수도 있을 것 같았다. 아이는 커다란 탈모기에 남자를 넣어 돌리고 싶다는 생각이 문득 들었다.

'충분히 들어갈 거야.'

아이는 생각만으로도 즐거웠다. 남자를 탈모기에 넣고 돌리면 등판에 그려진 용 문신이 모두 지워질 것 같았다. 남자의 마음 깊이 뿌리박힌 나쁜 생각도 닭 털 뽑히듯 깨끗하게 뽑힐 것 같았다. 아빠는 분주하게 좁은 닭장 사이를 오갔다. 잠시 후 아빠는 닭 한 마리를 잡아왔다. 갑자기 일어난 일에 아이는 눈을 감았다. 닭은 비명을 지를 사이도 없이 모가지가 축 늘어져 있었다.

"주문 들어온 닭인데 너 보여주려고 미리 잡은 거야."

아이는 아빠가 저런 짓을 할 수 있다는 것이 기이했다.

저렇게 강한데 왜 남자에게 저항 못 하는지 갑자기 배신감이 치솟았다. 남자에게도 눈을 부릅뜨고 시원하게 욕설을 내뱉고 칼로 도마를 내리치듯 손을 들어 남자의 뺨이라도 때려 줬으면 싶었다. 아이는 주저앉아 두 손으로 눈을 가렸다. 지난 폭우에 뒷산에서 쓸려 내려 온 흙탕물과 죽은 나뭇가지와 굴러다니는 페트병들이 안방까지 밀고 들어와 발목까지 차올랐을 때처럼 아득해졌다. 아이는 아빠가 남자의 모가지도 닭처럼 비명 지를 새도 없이 꺾어서 탈모기에 넣고 문신이 지워질 때까지 돌렸으면 좋겠다고 생각했다.

아이는 가렸던 손바닥을 펴고 아빠를 바라봤다. 여전히 아빠는 작은 입을 놀리며 뭔가 속삭이듯 말을 했다. 고개를 저었다. 아빠가 남자를 쓰러뜨릴 날은 없을 거라는 생각으로 다시 아득해졌다.

아이는 문득 남자가 처음부터 떠나지 않을 작정으로 들어왔을지도 모른다는 생각이 들자 불안해졌다.

"조금만 있으면 떠날 거야, 걱정 마."

며칠 전에 한 엄마 말이 생각났다. 아이에게는 왠지 조금만 있으면 자신들이 떠나게 될 거라는 말로 들렸다.

"아빠, 우리가 이사 갈까?"

"우리 집은 어쩌고, 안 되지."

아이는 아빠가 미웠다. 한편으로는 아이도 집을 빼앗기고 이사 가는 것은 싫었다. 남자를 쫓아낼 테니 걱정 말라는 허풍이라도 떨어 주길 내심 기대했던 것이다. 아이는 아빠를 향해 눈을 하얗게 치켜뜨며 바보, 멍청이 아빠라고 생각했다.

아빠가 받아 온 양동이 물에서 김이 모락모락 피어올랐다.

"뜨거운 물에 불어야 닭 털이 잘 뽑히거든."

아빠는 축 늘어진 닭을 뜨거운 물에 담그고 장화를 터덜거리며 닭장으로 다시 들어갔다. 아빠는 계란 하나를 들고 나와 주변을 한번 둘러보고 말라붙은 풀 대롱을 꺾어 계란 양쪽에 구멍을 내 한쪽을 검지 끝으로 누르고 아이에게 내밀었다.

"어여 입술에 대고 쭉 빨아 봐. 고소할겨. 주인 보면 혼나. 어여 빨아."

"싫어."

"예까지 왔으니까 줘 보지, 한 알이라도 당찮아. 어여 쭉 빨아."

아빠는 간곡했다. 아이는 아빠의 부탁에도 날계란을 빨지 않았다. 대신 아깝다고 아빠가 쭉 빨아 먹었다. 고개를 쳐들고 계란을 삼키는 아빠의 목젖이 힘 있게 출렁였다. 아빠는 아이에게 먹이지 못한 것이 못내 아쉬워 몇 번 혀를 찼다. 아이는 곤두박질치는 자신의 속마음을 몰라주는 아빠가 서운해서 날계란 먹을 기분이 아니었다.

아빠는 남들이 말하듯 바보는 아니었다. 그러나 아빠를 아는 모든 사람들은 아빠를 바보라고 했다.

"등신 같은 놈."

언제부턴가 남자가 아빠를 부르는 호칭이었다. 남자가 아빠를 그렇게 부를 때마다 아이는 남자의 입을 틀어막고 싶었다.

아이는 평화롭게 웃는 아빠를 바라봤다. 남자가 눈을 이글거리며 자신의 몸을 훑고 지나갔다고 말할 수가 없었다. 남자를 밀어내면 매도 맞는다는 말조차 하지 못했다. 공포와 분노가 심장까지 닿아 터져 버릴 것 같아서였다. 그런 말을 한다면 아무리 바보등신 같은 아빠라도 남자에게 일격을 날릴 것이고 아빠는 남자에게 흠씬 매를 맞을 것이다. 그것보다 겁먹은 아빠가 아무런 행동도 하지 못 한다면 아이는 아빠마저 미워질 것 같아 겁이 났다. 아이는 비닐하우스를 통해 들어온 여름 해가 눈 부셔 눈을 감아 버렸다. 눈을 감았는데도 동공 속에 들어찬 강렬한 빛은 계속 눈을 뜨겁게 만들었다.

아빠는 뜨거운 물에 담겨있던 닭을 꺼냈다.

"닭발과 닭 대가리는 잘라서 넣어야 돼. 가끔 배출구에 걸려서 그때마다 탈모기가 고장 나거든."

아빠는 피와 오물이 얼룩진 도마 위에 닭을 내려놓고 도끼칼로 닭 대가리를 내리쳤다. 아이는 두 손으로 눈을 가렸다. 아빠가 다시 칼을 도마에 내리치는 소리가 들렸다. 아이는 가렸던 손을 열었다. 도마 위에 닭발이 댕강 잘려 굴렀다. 아이는 다시 몸을 움칠거렸다. 이상하게 설명할 수 없는 후련함이 차올랐다. 아빠가 저렇게 센 사람이라는 것을 보여 주면 남자가 사라질 것 같았다. 생각만으로 기분이 좋아졌다. 몸통만 남은 닭을 아빠는 탈모기에 넣고 물을 살짝 부었다. 전원을 넣자 탈모기가 덜덜거리며 돌아갔다. 물에 젖은 닭 털은 배출구로 빠져나왔다. 잠시 후 아빠는 반들거리는 알몸의 닭을 꺼내 쳐들었다.

"이거 봐라, 털이 깨끗하게 빠졌지?"

아빠가 기이한 미소를 지었다. 아이 눈에는 남자도 까불면

이렇게 된다고 말하는 듯 보였다. 아이는 반들반들한 닭을 쳐다보며 탈모기 속 남자를 상상했다. 닭똥 냄새가 왠지 심하게 느껴지지 않았다. 아이는 코를 잡고 있던 손가락을 슬며시 놓았다.

"아빠, 닭이 더 중요해, 내가 더 중요해?"

"그야 뭔 말이 필요해. 네가 더 중하지."

"그럼 우리 집에서 그 남자 내쫓아 줘."

아이는 아빠가 자신의 말에 왠지 주먹에 힘이 들어가는 것처럼 보였다. 그 뒤로 아빠의 작은 입이 몇 마디 했지만 닭 울음소리에 묻혀서 들을 수가 없었다.

어제 저녁에도 엄마는 한참 칼을 찾았다. 냉장고 위를 더듬어 칼을 찾아온 사람은 아빠였다. 그릇을 깨지지 않는 플라스틱으로 바꾼 것도 아빠였다. 아이는 아빠가 공포와 혼란을 이겨내기 위해 노력하고 있는 것이라고 생각했다. 아이가 이단옆차기를 하며 두려움을 견디는 것처럼 아빠도 그렇게 견디고 있는 것이라 믿었다. 아이는 언젠가 텔레비전 드라마에서 깡패들이 어떤 사람에게 수면제를 먹여 잠들게 한 후 납치하던 장면이 떠올랐다. 아이는 남자에게 수면제를 먹이고 잠들게 해 닭장으로 가 탈모기에 넣고 돌리면 될 것이라고 생각했다. 아이는 남자가 없으면 아빠가 형광등을 켜고 출근 준비를 하고 닭장에서 일을 마치고 돌아와 예전처럼 웃고 떠들 수 있을 거란 생각을 했다.

아빠는 출근 준비할 때조차도 형광등을 켜지 못하고 더듬거리며 옷을 챙겨 입었다. 아이는 아빠 집에서 아빠 맘대로 할 수 있는 일이 아무것도 없다는 것이 억울했다. 아이는 반지하 방 창문을 통해 출근하는 아빠가 점으로 멀어질 때까지 눈을 떼지 않고 쳐다보다 학교 갈 준비를 해 책가방을 메고 경사로를 내달렸다. 가능하면 빨리 집에서 멀어지려고 힘껏 달렸다. 아이는 언제부턴가 자신의 집과 가까워질수록 심장이 요동치고 몸서리가 쳐졌다.

아이는 전교에서 제일 일찍 등교하는 아이가 되었다. 일부러 먼 길로 걸어도 너무 일찍 등교해 교문과 교실 문이 잠겨 있었다. 아이는 학교가 끝나도 책가방을 천천히 챙겼다. 선생님의 하교 재촉에 겨우 일어나 태권도 학원으로 갔다.

"여자애가 무슨 태권도를 그렇게 열심히 해."

엄마와 똑같은 말을 태권도 학원 선생님도 했다. 아이는 남자를 자신의 집에서 쫓아내기 위해 태권도를 열심히 한다고 말할 수 없어 웃기만 했다.

아이 반 친구들 대부분이 아이를 무시했다. 닭똥 냄새 난다고 옆에 오지도 않았다. 닭똥 냄새가 지독한 것은 사실이었다. 아이는 그것을 인정한 뒤로 친구들과 놀지 못해 심심하긴 해도 억울하지는 않았다.

아빠는 닭똥을 치우고 먹이를 주고 계란을 걷어 들였다. 대부분 도매로 팔려 나가지만 아빠는 소매로 사러 오는 사람들에게도 닭을 잡아 팔았다. 어떤 날은 스무 마리, 어떤 날은 열 마리 닭을 잡아 판다고 했다. 탈모기에 닭을 넣고 속도를 낼수록 털이 깔끔하게 뽑혔다. 닭장에서 아빠가 하는 일을 본다면 누구든지 바보 같다는 말은 하지 못할 것이라고 아이는 생각했다. 닭장을 관리하고, 계란을 거두고, 모이를 주고, 심지어 아픈 닭들에게 약도 먹이고, 주사도 놓았다. 바보가 할 수 있는 일이 아니었다.

현관 앞에서 아이는 모든 것을 다 보았다.

"너는 눈감고 귀 막고 지내면 매 맞지 않고 살 수 있어."

남자의 말에 엄마가 가늘게 고갯짓을 했다. 엄마의 고갯짓은 아이에게 절망으로 다가왔다. 남자는 실실 웃음을 흘리며 엄마를 뒤로 쓰러뜨렸다. 남자는 엄마의 아랫도리를 벗기고 두 다리를 벌렸다. 남자는 엄마를 포획한 것처럼 함부로 대했다. 아이는 남자를 끌어들인 엄마가 미웠다. 아이는 밖으로 뛰쳐나와 체육관으로 달렸다.

체육관이 떠나가도록 기합을 넣으며 발차기를 시작했다. 밖은 어느덧 어둠이 내려앉고 있었다. 이단 옆차기, 한 바퀴 돌아서 돌려차기를 하고 뛰어서 돌려차기와 뒤차기도 연습했다. 공중회전은 셀 수도 없이 연습을 했지만 늘 착지하면서 넘어졌다. 체육관 실내에 넘어지는 소리가 퍽 퍽 울렸다. 아이는 그 소리가 경쾌해서 좋았다. 운동하는 내내 냄비 뚜껑만큼 큰 남자의 손이 아이의 눈앞에 아른거리는 듯했다. 아이는 그럴 때마다 체육관이 떠나가도록 세게 기합을 넣었다. 남자를 앞에 세우고 이단 옆차기를 한다고 상상하니까 힘이 불뚝 솟았다. 아이는 엄마에게 함부로 대하고, 자신을 괴롭히고, 아빠를 때리는 남자를 빨리 탈모기에 넣어 돌리고 싶어졌다.

아이는 수면제를 어떻게 구할지 고민이 됐다. 남자에게 수면제를 먹여 잠이 들게 돼야 아빠 닭장까지 옮길 수 있을 것이라는 생각으로 머리가 무거워졌다. 아이는 당장 어찌할 수 없는 상황을 떨쳐 내기라도 하듯 다시 발을 일직선으로 올려 앞으로 힘껏 던지듯이 찼다. 다시 힘이 불끈 솟구쳤다. 아이는 오늘 수업 시간에 공부한 것이 떠올랐다.

"지난 시간에는 가족 구성원에 대해서 배웠죠? 또 가족은 아니지만 한집에서 같이 사는 사람은 누가 있을까요? 있으면 손 들어보세요."

삼촌, 외삼촌, 이모, 고모, 할아버지와 할머니, 모두들 고함을 지르며 손을 번쩍 들었다. 선생님은 모두에게 질문했지만 아이는 자신에게만 물어보는 것처럼 들렸다. 아이는 들어 올린 손을 살그머니 내렸다. 남자를 누구라고 설명해야 할지 난감했기 때문이다.

'집 안에 있어도 안전하지 않다고 생각하는 사람 손들어 보세요.'

선생님이 그렇게 물어봐 주기를 기다렸지만 끝내 그런 질문은 하지 않았다.

집은 가족의 쉼터이므로 편안하고 안전한 곳이어야 한다는, 지난 시간 선생님 말이 떠올랐다. 아이는 자신의 집을 생각했다. 시멘트가 부서져 흘러내리고 창문에는 창살처럼 거미줄이 늘어 갔다. 벽에 난 균열은 점점 더 벌어지고 재개발을 반대하는 사람들이 집 벽에 쓴 글씨에서 붉은 눈물이 흘러내렸다. 아이는 자신의 집은 더는 편안하고 안전하지 않다고 생각했다.

아이는 차라리 창밖에 쓰레기가 쌓여 갈 때가 그리워졌다. 그때는 쓰레기 더미가 쌓이는 것만 걱정하면 되었다. 싫어하는 당근이 들어 있다고 투정을 부리던, 엄마가 만든 카레도 그리웠다.

재개발 지역으로 발표되기 전에는 쓰레기를 버리고 이사 가는 사람들이 없었다. 아이는 해가 질 무렵 창가에서 지나가는 사람들 종아리를 구경하는 것도 재밌었다. 종아리만 봐도 뚱뚱한지, 마른 사람인지, 남자인지 여자인지 한눈에 알 수 있었다. 틀렸다 해도 상관없었다. 세 식구는 군데군데 깨지고 구멍

난 계란을 얻어와 물리도록 계란 요리를 해 먹고 웃었다. 방이든 거실이든 셋이 함께 뒹굴었다. 아침이면 오가는 행인의 발자국 소리가 잠을 깨우고 닭장으로 출근하는 아빠가 장화 속으로 발을 푹 집어넣는 소리를 들으며 아이는 실눈을 떴다. 아이는 도로시가 회오리에 휩쓸려 날아가 떨어질 때 동쪽 마녀를 깔아뭉갰듯이 남자를 깔아뭉개는 상상을 하며 타박타박 집으로 향했다.

현관문을 열자 엄마와 남자가 통닭을 뜯고 있었다. 두 사람이 동시에 아이를 돌아보았다.

"많이 기다리다 먹는 거야. 어디 갔다 이제 오니?"

엄마가 먹던 닭 조각을 내려놓고 말했다.

"태권도 갔다 왔어?"

아이는 남자가 묻는 말에 대꾸조차 하지 않은 채 책가방을 내려놓고 손을 씻었다. 남자가 일어나 아이에게 다가와 닭 다리를 하나 건넸다. 아이는 남자의 손을 밀쳤다. 아이는 낮에 아빠 닭장에서 본 탈모기에서 꺼낸 알몸 닭이 생각나 구역질이 났다. 앉을 수도 없는 좁은 닭장에서 잠도 못 자게 불을 켜 놓고, 그러다 알을 낳지 못하면 아빠 손에 잡혀 탈모기를 통과했다. 아이는 남자가 탈모기 안에서 살려 달라고 소리치는 장면을 억지로 상상했다.

"쌀쌀맞기는, 처먹기 싫으면 관둬. 자기나 많이 먹어."

남자가 얼결에 자기라는 말을 흘리자 엄마는 아이를 흘깃 쳐다보았다. 아이는 밖으로 나가고 싶었지만 집에 한번 들어오면 밖에 나가는 것도 쉽지 않았다.

남자가 어디 가느냐고 꼬치꼬치 캐물었다. 아마도 자신의 행동이 알려질까 두려운 모양이었다. 아이는 밖으로 나가기를 포기하고 공부방으로 들어가려다 남자가 쫓아 들어올까 겁나 그만두고 스케치북만한 텔레비전 앞에 바투 앉았다.

"좀 떨어져 앉아. 안 보여."

남자는 아이의 뒤통수를 내리쳤다. 아이는 고개를 획 돌려 남자를 째려봤다.

"째려보면 어쩔 건데?"

남자는 아이의 머리를 재차 후려쳤다.

"때리지 말고 말로 해요."

아이는 눈이 뜨거워졌지만 울음을 꾹 참느라 입을 앙다물었다.

'탈모기는 꽤 컸어. 충분히 들어가고 남을 거야.'

아이는 당장 남자를 닭장에서 본 탈모기에 고꾸라뜨리는 상상을 했다.

"그렇게 쳐다보면 뭐, 한번 해보자는 거야. 아이 무서워라."

아이는 사내 대신 엄마를 바라봤다. 아이와 시선이 마주치자 엄마는 뭔가 말하려는 사람처럼 입술을 달싹거렸다. 아이는 이쯤에서 엄마가 한마디라도 역성을 들어준다면 미워했던 마음이 조금은 사그라질 것 같았지만 끝내 엄마는 한마디도 하지 않았다. 아이는 아랫입술을 잇새에 넣고 꽉 깨물었다.

지하 방은 잿빛 기운으로 가득했지만 전등을 켜기 위해 움직이는 사람은 아무도 없었다.

"요것을 오늘 밤 단단히 혼내 줘야겠어. 자기가 부탁해서 참았더니 안 되겠어."

남자는 흥분을 가라앉히지 못했다. 아이는 엄마의 부탁이란 남자의 말이 귀에 박혔다. 아이는 엄마도 같은 편이였다는 생각을 하니 용기가 났다.

"우리 집에서 나가요. 당장 나가란 말이에요."

아이는 어디서 그런 용기가 솟았는지 남자의 눈을 쳐다보며 그렇게 내뱉었다. 남자는 잠시 적당한 말을 찾는지 기가 막힌다는 표정으로 아이를 한참 내려다보았다. 아이도 남자의 눈길을 피하지 않았다.

"네가 그렇게 쳐다보면 어쩔래?"

남자가 분을 삭이지 못하고 아이의 뺨을 후려갈겼다.

아이의 몸이 베개처럼 가볍게 방구석에 가 처박혔다.

그때 엄마가 고함을 치며 남자에게 달려들었다.

"내 딸 건드리지 마! 손끝하나 대면 죽여 버릴거야."

엄마는 남자의 웃옷을 붙잡고 늘어졌다.

"이년이 미쳤어?"

남자는 아이 엄마의 멱살을 두 손으로 바짝 거머쥐고 방바닥에서 들어 올려 흔들어댔다.

멱이 졸려 들어 올려 진 채 두 발을 바동거리는 엄마를 본 아이는 방에서 일어나 있는 힘을 다해 기합을 넣으며 남자의 등을 향해 이단옆차기를 날렸다. 체육관에서 그렇게 연습하고 연습하던 장면을 떠올리며.

갑작스런 아이의 습격에 남자는 엄마의 멱살을 놓치고 휘청거렸다. 아이는 체육관에서 연습하던 대로 성공적인 발차기였다고 생각했다. 남자는 어이가 없다는 듯 묘한 미소를 입가에 지어보였다.

"이것이 하루 강아지 범 무서운 줄 모르는구먼!"

남자는 기분 나쁜 중저음으로 말을 뱉어 내고 입가에 짓던 묘한 웃음기를 지운 뒤 아이의 엉덩이를 걷어찼다.

남자는 꼬꾸라진 아이에게 다가가 다시 멱살을 잡아 일으켜 현관 바닥에 힘껏 내동댕이쳤다.

아이가 비틀거리며 일어나 현관문을 닫고 지하 계단을 기어오르는데 엄마의 울음소리도 계단을 타고 따라 올라왔다. 계단 끝에 이르자 거리의 열기가 아이의 얼굴로 후끈 달려들었다. 아이는 자기 집이 있는 빌라를 올려다보았다. 빌라 옥상은 석양으로 붉었다. 아이는 눈이 부셔 눈살을 찌푸렸다. 아이는 아빠를 만나서 남자에게 먹일 수면제를 사기 위해 인근 약국을 돌아다니려면 좀 쉬어야겠다고 생각했다. 아이는 아빠가 돌아올 길목에 주저앉아 그 방향을 향해 고개를 길게 뺐다.

---

* 이 단편은 2015년 『문학나무』 가을호에서 「집」으로 발표되었다.

깃발이 운다

눈을 떴다. 야광 깃발이 깃대에 매달려 파르르 떨고 있는 게 보였다. 간신히 눈동자를 돌려 주변을 살폈다. 바로 옆에 수로가 흐르고 수로를 끼고 양옆으로 모내기가 끝난 논이 펼쳐져 있었다. 물이 흥건한 곳에 엎어져 있지 않은 것만도 다행이었다. 오토바이를 벗어난 몸이 하늘로 치솟던 기억이 났다. 바닥에 곤두박질 친 뒤로 풀숲으로 기어오르던 것에서 필름이 끊어졌다. 몸은 밤사이 내린 이슬에 흠뻑 젖어 매 맞은 것처럼 무겁고 욱신거렸다. 고개를 돌릴 수도 없고 몸조차 마음대로 움직이지 않았다. 오토바이는 곡예 하듯 아슬아슬하게 수로에 걸쳐 있었다. 오토바이 꽁무니에는 저팔계를 흉내 낸 아기 돼지가 그려진 야광 깃발이 팔랑거렸다. 마치 아버지가 흔들던 깃발 같기도, 공단 외국인 노동자 숙소 벽에 붙은 색색의 삼각 깃발 같기도 했다.

아버지는 성대 결절 진단을 받던 날부터 깃발로 의사소통하기 시작했다. 성대 쓰는 걸 최소화하라는 의사의 말을 듣고 온 후였다.

"너희들 나 화나게 하면 안 된다."

아버지는 너희들이란 말로 나와 어머니를 하나로 묶어 깃발 부대를 창단했다. 아버지는 60cm 막대기 끝에 삼각형의 흰 천과 붉은 천을 각각 매달아 상하좌우로 흔들며 어머니와 나를 진두지휘했다. 여태껏 아버지 혀끝에 놀아나던 우리는 그때부터 깃발 짓에 놀아나게 된 셈이었다.

"유치하네."

물론 이 말은 어머니가 내 앞에서만 했던 말이었다. 마지못해 입을 열던 아버지는 깃발로 소통하는 것이 만족스러워 보였다. 문제는 어머니였다. 평소 잘 웃긴 했어도 아버지의 깃발 짓에까지 토를 달지 않고 까르르 웃었다. 웃는 어머니 앞에서 아버지의 깃발 소통은 쭉 이어졌다. 차려 놓은 밥상 앞에서 맥 풀린 얼굴로 머리와 붉은 깃발을 동시에 휘저었다. 삭힌 깻잎과 물에 띄운 오이지 앞에서는 양미간과 입가에 주름이 지도록 찌푸리며 붉은 깃발을 흔들었다. 어머니는 팔랑이는 깃발 짓에 맞춰 그것들을 상 밑으로 잽싸게 내려놓았다. 시장통에서 어머니 손에 들린 아이스크림을 보고 품격 운운하며 한 달간 어머니와 말을 섞지 않을 때도, 허벅지가 보이는 반바지 차림의 어머니를 슈퍼에서 만났을 때도, 열흘 동안 어머니 코끝에서 붉은 깃발이 나부꼈다. 아버지는 때로 어머니에게 벌을 준다는 명목으로 어머니가 차린 밥상에 앉지 않는 웃음도 안 나오는 짓도 했다. 우유나 과일을 준비하겠다는 어머니 말에는 강력하게 거부한다는 표시로 붉은 깃발을 수없이 팔락거렸다. 나는 그럴 때마다 깃발 따위로 어머니의 자존심이 도적질당하는 것 같아 몹시 불쾌했다. 어머니는 그런 아버지 앞에서 여전히 명랑했다. 어머니가 명랑할 일이 당최 없어 보여 이해하기 어려웠지만 어머니는 꾸준히 상냥하고 명랑했다. 그런 어머니에게 나는 처음으로 바보냐고 화를 냈다.

"대학교 1학년 때 사수 끝에 입학한 네 아버지를 만났어. 적당한 몸피에 소식가였어. 소처럼 많이 먹는 남자가 싫었거든."

어머니는 나를 설득하거나 이해시키려는 말투는 아닌 듯 보였다.

"정갈한 남자의 표본처럼 얼굴이 하얗고, 말수 없는 것이 좋았어. 그때부터 내가 네 아버지를 좋아했거든. '너는 명랑한 게 보기 좋더라.' 그렇게 말하는 너희 아버지 말처럼 더 명랑해져서 나를 좋아하게 만들고 싶었어."

말을 맺는 어머니는 보랏빛 붓꽃처럼 수줍어 보였다. 나는 수줍게 웃는 어머니를 볼 때마다 아버지의 치부를 들추고 싶은 것을 참느라 공연히 어머니에게 성깔을 부렸다.

사 개월 전이었고, 공영 주차장 관리실에 족발을 배달하고 돌아가는 길이었다. 관리실은 두 평 남짓 공간이지만 모든 집기들을 갖춘 원룸 같았다. 한가한 틈을 타 뭉치는 주변 소상인들 덕분에 자주 배달을 갔었다. 공영 주차장 바로 뒷골목이 아버지가 운영하는 한의원이었으므로 그 앞을 지나칠 때마다 무엇인가에 끌리듯 올려다보곤 했었다. 평상시라면 병원 문을 닫을 시각이었지만 그날은 웬일인지 한의원에서 연한 빛이 새어 나왔다. 가도 반겨 줄 아버지는 아니었지만 가게로 일찍 가 봤자 주인의 새로 태어난 손자 자랑에 머리가 아플 것이고 '30분 이내 배달' 수칙에도 여유가 있던 터였다. 계단을 절반쯤 올라갔을 때였다. 낮지만 정확하게 노크 소리가 세 번 계단에 퍼지더니 곧 문이 열렸다. 여자를 안에서 낚아채듯 끌어들인 건 분명 아버지였다.

똑깍.

안에서 문 잠그는 소리가 계단의 고요 속으로 사그라지기도 전에 나는 절반쯤 올라갔던 계단을 순식간에 내려와 땅바닥을 딛고 서 있었다. 가족 간 소통의 부재가 아버지의 성격 이상 때문일 것이라는 내 생각은 그날의 정황으로 보아 얼추 맞는 듯했다.

'어떤 것이 먼저였을까? 여자가 있어 가족과 소통하지 않은 것일까? 가족과 소통이 안 되기 때문에 여자를 품은 것일까?'

나로서는 알 수 없는 일이었다. 아버지는 정갈한 인간이란 가면을 쓰고 살았다. 속이고 속는 삶의 경계에서 어머니의 삶을 엉망으로 구겨 놓고 방관자로 사는 아버지를 향해 돌진하고 싶었다. 어머니가 직접 보지 않고는 현실을 믿지 않을 것이고 태엽 감은 인형처럼 언제까지고 명랑함을 잃지 않으려 애쓸 것이었다.

여자와 함께 한의원을 나오는 아버지를 맞닥뜨린 건 처음 여자와 아버지의 관계를 목격한 뒤로도 서너 번 더 모르는 척 지나친 후였다. 나와 아버지가 눈빛을 교환했을 때 아버지는 그 짓을 끝냈어야 했다. 그때 아버지는 네 놈이 알면 뭘 어쩌겠느냐는 듯한, 마치 점수가 낮은 내 성적표를 받았을 때의 조소가 담긴 눈빛만 보냈을 뿐 멈추지 않았다. 나는 아버지가 그랬듯이 아버지를 응징하라고 스스로에게 주문했다.

아버지는 십이 년째 같은 장소에서 노인 관절 환자가 대부분인 한의원을 운영했다. 할아버지에서 아버지로 대를 이어온 한의원은 규모가 줄고 줄어 지금은 뒷골목 작은 한의원으로 전락했다. 아버지는 한의원을 간신히 꾸려가는 듯 보였다. 탕약이 필요한 환자에게는 조재한 약재를 전문 탕제원에 맡길 정도로 탕제실도 따로 없는 작은 규모였다. 하루에 몇 안 되는 환자와 씨름하느라 성대가 결절 되었다는 말 또한 이해되지 않았다. 시골 한약방 같은 규모가 못마땅한 어머니가 시외버스 터미널 근처 번화한 곳으로 얼마간의 빚을 내서라도 확장 이전을 권했지만 아버지의 반응은 냉소적이었다. 장소에 연연하지 않는다는 대답만 돌아왔다. 아버지는 이상하리만큼 동네를 고집했고 그 장소를 떠나지 못했다.

아버지는 한의원을 나에게 대물림할 생각은 처음부터 없다고 했다. 그러면서도 중간 이하인 내 성적표를 볼 때면 조소가 담긴 눈초리로 나를 따갑게 쏘아봤다. 그런 아버지가 못마땅해 혀를 차던 어머니는 시집와서 들었다는 얘기를 나에게 위로 삼아 했다.

"아버지도 동고동락하는 독선생에게 과외를 받았대. 한의대 입학할 때까지 포기하지 않겠다는 할아버지 말에 미치도록 공부해서 네 번 입시 끝에 지방 한의대에 입학했단다. 그것도 턱걸이로."

어머니는 턱걸이라는 말을 강조하며 무구하게 웃었다.

"너는 재수만 했어도 지방 한의대쯤은 거뜬히 갔을 텐데."

아버지의 치부까지 끄집어내 위로하는 어머니가 고마워 나는 고개를 크게 끄덕이며 긍정의 답을 보냈다. 어머니는 그런 나를 한의대생을 바라보듯 흐뭇하게 바라보았다.

내가 땅바닥에 엎어져 꼼짝 못 하고 있는 걸 봤다면 아버지는 어떤 표정을 지을지, "에이, 나쁜 놈아." 욕을 내뱉기 직전의 표정이 될지 궁금했다. 시간이 얼마나 흘렀는지 알 수 없었다. 더구나 자정이 지난 시각이었으니 인적이 끊겼던 것이 분명했다. 익어 가는 수제비 반죽이 수면으로 떠오르듯 기억이 조각조각 떠오르기 시작했다. 기억은 되살아나기 시작하더니 마침내 쾌속으로 내달렸다.

아기 돼지 야광 깃발을 오토바이 배달 통에 꽂고 출발할 때까지도 나는 족발집 주인에게 신임받던 배달원이었다. 국방의 의무를 마치고 복학할 때까지 주어진 자유를 스스로 반납하고 복학 준비와 야식 배달 아르바이트를 한 지 삼 개월이 지났다. 복학할 때까지 남은 삼 개월 동안 꾀부리지 않고 야식 배달을 한다면 등록금은 만들 수 있을 것이라 생각했었다. 무늬만 한 의사 사모님이었지 생활비에 목매어 있는 어머니를 위해 만신창이가 된 구두를 새 구두로 갈아 주고 싶었다.

고개를 조심스럽게 돌려 보고 몸을 뒤척이려 해도 꿈쩍도 할 수 없었다. 몸을 움직일 수 없다면 척추를 다쳤을 확률이 높은데, 생각만으로도 끔찍했다. 의식은 점점 또렷해지고 통증은 점차 심해졌다.

공단 쪽에서 읍내로 나가는 중이었다. 농로라서 좁고 어두운 반면 시간은 반으로 줄일 수 있는 지름길이라 공단 야식 배달은 위험을 무릅쓰고 농로를 이용했다. 더구나 밤에는 거의 통행이 없는 곳이라 코너링을 즐기기에 최고였다.

“30분 이내 배달, 시간 지켜라이.”

주문을 걸 듯 사장은 출발 전 매일 같은 말을 뒤통수에 대고 쏘아붙였다. 상호와 안전제일이란 문구가 새겨진 아기 돼지 야광 깃발을 다는 순간 머리가 복잡해졌다. 배달 시간 준수를 염두에 두고 달리다 보면 생계형 운전자로 전락했다. 빨리 가야 한다. 그것만이 목표였다. 50cc 오토바이로 5km까지 10분 이내. 사장이 정한 목표 시간이었다. 사장은 헤맸다고 사정해도 핑계로만 여겼다. 왕복 30분이 넘으면 배달 수칙 불이행이란 명분을 달아 땀으로 시큼해진 몸에 잔소리 샤워를 퍼부었다. 배달원 주먹에 쥔 돈을 건네받은 후에야 무사히 배달을 마친 배달원이 사장의 눈에 들어오는 듯 했다. 사장은 늦은 배달은 다음 고객을 포기하는 것이라 했다. 사고 이후 대신 영식이랑 승호가 혼쭐나게 달렸을 것이다.

신호 위반은 다반사였다.

“안전모는 꼭 쓰고 다니고, 신호 위반 같은 교통 법규 위반 범칙금은 걱정 말고 댕겨라이.”

사장은 범칙금을 대납해 줄 것이라 큰소리쳤지만 한 번도 대납해준 적은 없다. 그러니까 신호 위반도 하지 않으면서 배달 수칙도 잘 이행하라는 것이었다.

어둠을 뚫고 달렸다. 자정이 넘어 출발할 때 알 것 같았던 3

공구 B블록을 찾기 위해 몇 바퀴를 돌았다. 몇 바퀴를 돌면서 기억의 파편들이 엉클어지기 시작했다. 어둠 속에서 그 건물이 그 건물 같았다. 즐비하게 늘어선 높고 커다란 사각의 창고형 건물들이 계속 나왔다. 제자리를 빙글빙글 도는 것처럼 느껴졌다. 밤공기에 섞인 이상한 약품 냄새 때문에 구역질이 났다. 몇 번 왔던 길이지만 잡생각에 빠지면서 비슷해 보이는 공단 블록을 돌고 또 돌게 된 것이다.

도착했을 때 공장 한편 컨테이너를 불법 개조한 노동자 숙소에서 수난다와 안주라마가 나왔다. 염색 공장에 다니는 티베트에서 온 벵가스의 친구들이었다. 우리 집 골목 끝 빌라에 사는 벵가스네 집에서 수난다와 안주라마를 몇 차례 본 기억이 났다. 공장에서 얻어 줬다는 빌라는 금방이라도 주저앉을 듯 낡은 집이었다. 벵가스는 가죽 가공 공장에 다니는 불법 체류자 수난다와 안주라마가 같은 나라에서 왔다는 이유로 사장 몰래 가끔 숙식을 함께했다. 배달하러 가면 여러 명이 족발 하나를 시켜 놓고 현관문 앞에 바글바글 모여 족발을 맞이했다. 스무 개의 시커먼 눈동자가 굴러가고 군침을 삼키는 소리가 산발적으로 들렸다. 벵가스는 가죽 염색 기술자였다. 본인만 불법 체류자가 아니라는 말을 강조하면서 나를 볼 때마다 으스댔다. 빌라로 배달가면 '30분 이내 배달' 수칙 시간에서 여유 있는 십여 분 동안은 그들의 고충을 들어 주곤 했었다.

염색 약품 냄새가 고약해 울컥 구역질이 났다. 그래도 어렵게 찾아낸 곳에서 수난다와 안주라마를 보니 반가워 손을 내밀었다.

"너 나쁜 놈이다."

"그래 너 진짜 나쁜 놈이다."

"나쁜 놈, 너 죽인다."

그들은 다짜고짜 나를 향해 세 번을 반복해 소리쳤다. 나는 주위를 살폈다. 열어 놓은 컨테이너 문틈에서 비집고 나온 희미한 불빛 아래 나쁜 놈이라 불릴 사람은 나 밖에 없었다. 희미한 불빛을 등에 업고 서 있는 수난다와 안주라마는 단호하고 의분에 찬 표정이었다. 염료가 반질거리는 더께가 진 작업복 색깔과 얼굴색이 같아 보였다.

'이 자식들이 미쳤나.'

나는 차마 입 밖으로 내뱉지 못한 대거리를 가라앉혔다. 손에 든 족발과 서비스로 가져온 쟁반 막국수를 내밀었다. 그들은 족발이 목적이 아닌 듯 했다. 족발은 나를 불러내기 위한 수단인 듯 보였다.

"나쁜 놈."

아버지도 나에게 그들과 똑같은 말을 했었다.

"너 나쁜 놈이다, 너 진짜 무서운 놈이다."

아버지의 허스키한 목소리가 귓속에 녹음기를 틀어놓은 듯 윙윙거렸다.

어머니는 연락 두절된 아버지를 위해 많은 날 밥상을 차렸다 물리기를 반복했다. 언제나 갑자기 잡힌 세미나 때문이라고 핑계를 댔다. 어머니는 걱정에서 분노로, 안도에서 포기를 거듭하면서도 여전히 명랑했다. 나는 그럴 때마다 어머니가 완전히 포기하지 못하게 하는 아버지의 야비함에 환멸을 느꼈다. 아버지의 불륜을 목도하던 날 이후, 어머니는 한동안 아버지의 붉은 깃발이 펄럭인 듯 깻잎과 오이지를 상 밑으로 내려놓고 우유는 사 오지도 못했다. 집 안에서도 로봇 장난감처럼 웃음기 없는 얼굴로 서성거렸다.

빌라에서 여럿이 만날 때와 달리 공장으로 처음 배달 왔을 때 수난다와 안주라마는 경계의 눈초리와 함께 도움을 청하는 눈빛이 역력했다. 그때도 짐승의 가죽 냄새가 공기에 섞여 메케하고 메스꺼워 울렁증이 났었다. 가죽의 방충과 방습을 위해 사용된 화학약품과 염색에 쓰인 화학약품이 휘발하면서 유해 가스가 나와 숨을 쉬기 어려울 정도였다. 하늘과 맞닿은 높고 맑은 곳이 고향인 그들로서는 화학약품 냄새를 이겨내기 힘들다고 했다. 주로 도금 공장이나 염색 공장이 밀집돼 있는 열악한 중소기업 공단 지역이었다. 야식 배달을 하지 않았더라면 이곳에 이런 공단이 있는 줄도 모르고 살았을 것이다.

공장의 인력은 외국인 노동자가 주를 이루었다. 자연히 사장들끼리 담합을 하며 외국인 노동자들의 불법 체류를 약점으로 잡고 횡포를 부린다고도 했다. 두 번째 배달을 시켜 놓고 그들은 여러 가지 어려운 상황들을 이야기하며 도움을 줄 수 있는 상황이 아니라고 말했지만 답답해서 말하는 것이니 부담 갖지 않아도 된다고 했다. 나를 어떻게 믿고 그랬는지 모를 일이지만 나도 '30분 이내 배달' 수칙도 망각하고 함께 울분을 삼켰었다.

"외국인 등록증이랑 여권, 사장이 보관한다고 뺏었다."

"잃어버리면 안 되니까."

나는 궁색한 대답을 했다. 그들의 까만 눈동자가 흔들렸다. 이 공장 사장은 내가 고등학교 다닐 때 큰 행사마다 초대되던 사람이었다. 후원금도 내고 모범적인 기업인이라고 자랑하던 교장의 말을 또렷하게 기억했다.

"만일 밖에 나갔다 교통사고라도 나면 나 누구인지 아무도 모른다."

수난다와 안주라마는 본인들의 말이 거짓이 아니라는 듯 동조의 눈길을 서로 교환했다.

"잃어버릴까봐 그랬을 거야. 곧 돌려주겠지."

"여기 올 때 빌린 돈 갚아야 하는데 사장이 월급 미루고 적금 들었다고 돈 쪼끔 준다. 내 친구 다루에나가 일하는 합판 공장으로 가고 싶다. 사장은 기다리라고 하면서 여권 안 준다. 우리 이틀 동안 다루에나한테 다녀왔는데 도망갔다고 은행에 정기 적금도 정지시켜 우리가 못 찾는다."

사장이 이들을 상대로 불법을 저지른 게 확실하다는 생각이 었지만 나는 그 말을 입 밖으로 내보내지 못하고 얼버무렸다. 먼저 배달 왔을 때도 수난다는 울먹였다.

"내 여자 친구 브로커 도움으로 E-6 비자로 들어왔는데 소식이 끊겼다. E-6 비자가 예술흥행비자라는데⋯⋯ 여자 친구 보고 싶다. 찾고 싶다."

수난다는 마침내 염료로 더께 진 옷소매로 줄줄 흐르는 눈물을 문질렀다. 그 뒤 오늘이 세 번째 배달이었다.

재활용품인지 모를 것들이 컨테이너 주변을 점령해 쓰레기장을 방불케 했다. 족발이 들어있는 배달 통을 열어 다시 내밀었다. 수난다는 족발을 받아 안주라마에게 건넸다. 수난다는 내 손을 끌고 컨테이너 박스로 들어갔다. 내심 두려움이 엄습했다. 나쁜 놈이라 말하는 이유도 전혀 알 수 없는 일이었다. 숙소 안은 이불이 어지럽게 널브러져 있었다. 자신들의 처지를 달래며 먹었는지 소주병이 흩어져 있었다. 벽에는 경전을 적어 넣은 색색의 삼각 깃발 사진이 벽 한 면을 차지하고 있었다.

"저 파르초가 우리를 지켜 줄 거다."

팔락이는 파르초를 바라보는 수난다의 눈이 그윽했다. 내 감정이 뒤엉켜 소용돌이치듯 사진 속 파르초도 세찬 소용돌이 속으로 빨려 들어갈 것 같아 보였다. 새파란 하늘에 하얀 구름이 떠 있는 배경에 색색의 깃발이 뿜는 신성한 기가 그들뿐만 아니라 나에게도 들어올 것 같았다. 그런 생각이 들자 깃발을 보는 것만으로도 위안이 되는 듯 했다. 순간 수난다와 안주라마가 파르초의 기를 받아 나에게 마음 놓고 난폭해질 수 있기를, 그래서 저들이 조금이라도 울분을 삭일 수 있기를 바라는 마음이 간절해졌다.

한참 아버지가 깃발을 흔들 무렵이었다. 텔레비전 화면에 시원하게 티베트의 파르초가 나부끼고 있었다. 멀리 설산이 펼쳐져 있고 파르초가 바람에 휘날리는 화면 속 풍경이 장관이었다. 해발 4,200m의 세계에서 가장 높은 마을, 티 하나 없는 하늘에 유채색 파르초가 모든 근심을 잠재울 듯 나부낄 때마다 색색의 과일 향이 배어 나올 것 같았다. 똑같은 깃발인데 아버지의 깃발과 의미가 달리 다가왔다. 아버지의 깃발은 오너라, 가거라, 하거라, 말거라, 명령 수단일 뿐이었다. 반면 파르초는 두 손을 모으는 것만으로도, 나부끼는 것만으로도 위안을 주는 깃발이었다.

"왜 내가 나쁜 놈이야?"

"너 사장한테 우리 일렀다. 어제 사장이 무서운 사람 데리고 와서 회사에서 있었던 일 다른 사람한테 왜 얘기했냐고 때렸다. 너 나쁜 놈이다."

"나 사장 만나지 않았어. 미안하지만 나는 너희들 신경 쓸 겨를이 없어."

수난다와 안주라마는 내 말을 믿지 않는 눈치였다.

"아직도 거짓말이야?"

수난다는 자리에서 일어났다. 내 멱살을 잡아 흔들었다. 이방인이 자국민에게 손찌검하는 것이 쉬운 일이 아니었는지 수난다는 벌벌 떨던 주먹을 떨어뜨리고 파르초 사진 쪽으로 나를 밀쳤다. 그들의 분노에 뒤편에 있는 파르초도 심하게 펄럭이는 것처럼 느껴졌다. 마치 나를 응징이라도 하려는 듯 윙윙거리며 달려들 것 같아 몸을 움츠렸다. 수난다가 안주라마에게 동조의 눈빛을 보냈다. 안주라마가 내 턱 밑을 향해 힘껏 주먹을 날리려다가 멈추고 파르르 떨리는 주먹을 천천히 거두었다. 주먹질을 해대는 것보다 차마 때리지 못하는 그들의 손이 더 아파 보였다. 나는 안주라마의 움켜쥔 주먹에 돋은 힘줄이 터질까봐 겁이 났다. 나는 이상하게 반항할 수가 없었다.

'오늘밤은 마음 놓고 난폭해져 봐라.'

나는 그들이 흔드는 방향으로 흔들렸다.

"나쁜 나라, 나쁜 놈."

"그래 나 나쁜 놈이다."

공단 입구 편의점에서 맥주를 샀다. 목을 타고 넘어가는 맥주로도 갈증이 가라앉지 않았다. 좁은 농로로 접어들면서 속력을 냈다. 헤드라이트가 밝힌 시야만큼만이 내가 알 수 있는 세상이었다. 왠지 어둠이 한결 포근하게 느껴졌다. 그래서 차라리 밤에 달리는 야식 배달이 편했다.

이상하게 객기를 부리고 싶었다. 코너링을 즐기며 속력을 높였다 줄이기를 반복했다. 이미 '30분 이내 배달' 수칙은 깨진지 오래다. 술기운이 올라왔다. 눈이 자꾸만 감겼다. 야광 깃발이 정신 차리라는 듯 푸두두거렸다. 시간에 쫓기지 않고 오토바이를 타는 것이 참 오랜만이었다. 나는 더 힘차게 코너링을 즐겼다. 좁은 논두렁길을 신나게 달렸다. 아버지나 외국인 노동자들에게 들은 나쁜 놈이란 말이 이해할 순 없어도 상관없다고 생각했다. 그저 달리면서 모든 것을 잊고 싶었다. 술기운이 확 돌았다. 오토바이 엔진 소리와 펄럭이는 야광 깃발 소리가 섞여 환호처럼 들렸다. 더 세게 달릴 것을 종용하는 듯 했다. 뒷배를 봐줄 테니 염려 말고 달리라고 깃발이 우우 거렸지만 그 말은 절대 안 믿을 것이다. 아버지가 근엄하고 권위 있는 얼굴을 하고 깃발로 어머니와 나를 조종할 때, 나는 깃발을 따랐던 것이 아니었다. 그것을 조종하는 아버지를 믿고 싶었을 뿐이었다.

나는 더 사납게 핸들을 흔들었다. 그러자 더 큰 환호가 들리는 듯했다. '30분 이내 배달'이라는 목줄에 끌려 다니던 분주함에서 벗어난 순간 굉음과 속도를 즐기는 진정한 라이더가 된 기분이었다. 헤드라이트가 비춰지는 시야 밖은 매우 어두웠지만 오히려 안도감을 갖게 했다. 기이하게 나에게도 이런 폭발력과 반항심이 있다는 것이 새삼 다행이며 대견하기까지 했다. 나는 더 세게 핸들을 흔들었다. 아기 돼지가 그려진 야광 깃발은 깃대에 꼼짝없이 붙잡혀 펄럭이고 있었다. 더 사납게 달렸다. 빰에 스치는 오월의 밤공기가 아버지가 갈긴 빰처럼 얼얼했다.

아버지가 매를 든 적은 없었다. 어려서 밥투정할 때도, 빌려온 만화책을 볼 때도 아무 말 없이 다가와 손으로 빰을 갈겼다. 늦은 시간까지 돌아오지 않던, 그래서 밥상을 여러 번 차리던 어머니와 달리 나는 아버지의 부재가 편안했다. 그러니까 아버지에게 빰을 맞은 것은 특별한 것이 아니었다. 아버지가 긴 세월을 어머니의 인생을 우습게 만든 것에 대한 응징이 필요했을 뿐이었다. 그러나 아버지에 대한 응징이 내게 필요했던 것인지, 어머니에게 필요했던 것인지는 여전히 헷갈렸다. 설령 그것이 어머니를 위한 응징이었다 해도 결국 웃음을 잃은 쪽은 어머니였다. 아버지가 깃발을 휘두를 때 진작 붉은 깃발 대신 흰 깃발을 쳐들고 멈추었더라면 어머니는 계속 명랑함을 잃지 않았을까. 어머니의 명랑함은 연출하지 않은 명랑함이었을까.

"죽어서도 썩지 못할 놈."

아버지가 쓰고 있던 두꺼운 가면이 완전히 벗겨지던 날, 집으로 돌아온 어머니가 처음으로 뱉은 말이었다. 그날 우리 앞에서 아버지의 가면이 벗겨졌듯, 어머니도 그 순간부터 명랑함이란 두터운 가면을 벗었다.

"그 여자 불쌍한 여자야, 건들지 마."

아버지가 뱉어낸 말에 여자에게 다가서지도, 털끝 하나 건들지 못하고 얼음이 된 듯 굳었던 어머니는 그 뒤 동네를 헤매고 돌아다녔다. 장미 넝쿨이 우거진 공터 앞에서 텅 빈 한의원을 올려다보기도 했다.

'세미나 관계로 휴원'

어머니는 병원 현관에 붙은 안내문을 떼어내 발기발기 찢어버렸다. 그것이 어머니가 할 수 있는 가장 적극적인 분풀이인 것처럼 말이다. 그리고 걷고 또 걸었다. 태극기와 도기(道旗)가 펄럭이는 읍사무소 앞을 정신 놓고 서성였다. 어머니는 지난 세월을 되감는 듯 깃발을 올려다보았다. 깃대 끝에 매달려 우우 울어대는 깃발을 한참을 바라보다 돌아섰다. 나는 그런 어머니가 왠지 의무 복무기간이 끝난 군인처럼 홀가분해 보였다.

"네가 아버지와 여자가 한의원으로 들어가는 걸 봤단 말이지?"

펄럭이는 깃발의 날갯짓만큼이나 여러 번 나에게 묻던 어머니는 혹한기를 견디고 돌아온 훈련병처럼 볼이 벌겋게 달아올랐다.

꼭 열이틀 전 일이었다. 종일 비가 내려 집안이 온통 습기로 가득 차 짜증이 나 있던 때였다. 마침 한 달에 한 번 족발집이 쉬는 날이어서 방에서 빈둥대고 있었다. 어머니가 저녁상에 올린 음식이 식으면 데우기를 서너 번 반복한 다음이었다. 연락도 없는 아버지 밥상을 뭐가 예쁘다고 여러 번 차리느냐, 세미나 간 아버지가 언제 올지 모르지 않느냐며 서로 옥신각신하다 나도 모르게 뱉어낸 말이었다.

"엄마 밥상 차리지 마, 세미나는 무슨…… 아버지 한의원에 있으니 같이 가 봅시다."

한의원에 찾아온 어머니에게 남편 직장에 자주 오는 일이 얼마나 몰상식한 일인지 모르냐며 얼씬도 못하게 했던 아버지 말을 상기하는 듯 잠시 망설이다 어머니는 내 손에 끌려 집을 나섰다. 한의원 앞에서 나는 계단을 오르며 돌아가야 하나 계속 망설였다. 그러다 문득, 확인도 실망도 당사자의 몫이란 생각이 들었다. 어떤 식으로든 정리해야 한다면 당사자의 명료한 확인이 필요하다고 생각했다. 한의원 침상 바람막이 겸 채광용 커튼 사이로 교묘하게 불빛을 차단한 실내에는 두 사람

사이에 작은 스탠드가 놓여 있었다. 아버지는 하얗게 질려 있는 여자에게 다가가 여자 앞을 막아섰다. 어머니는 동그란 눈을 더 동그랗게 뜨고 말을 잇지 못했다. 나는 눈앞에 펼쳐진 삼각관계를 주시하고 있을 뿐이었다.

어머니는 골낼 줄을 모르는 사람이었다. 속이 없는 건지 아버지의 냉소와 질책에도 명랑함을 잃지 않았다. 아버지와 연관된 어떤 상황에서도 명랑하게 함박웃음을 짓던 어머니가 그날 처음으로 나는 무서웠다.

"아니, 왜 여기?"

어머니는 여자를 보자 현기증이 난 듯 잠깐 비틀거리다 접수대를 잡고 중심을 잡았다. 여자는 우리 집에서 몇 집 건너 화장품 가게 주인이었다.

아버지는 하얗게 질린 여자 입에 청심환을 밀어 넣었다. 어머니 손바닥에도 어머니 속같이 새까만 청심환을 올려 주었지만 힘이 풀린 어머니의 손에서 청심환이 떨어져 또르르 굴러가 아버지 발밑에서 멈췄다. 나는 속으로 어머니가 아버지의 멱살이라도 잡기를 간절히 바라고 있었다. 또 여자의 머리끄덩이를 잡아채기를 얼마나 바랐는지 모른다. 그런 일은 일어나지 않았다. 어머니는 흔들리는 붉은 깃발을 본 듯 얼음이 되어 꼼짝 못 했다.

여자가 밖으로 뛰어 나갔다. 아버지는 뚜벅뚜벅 나에게로 다가와 뺨을 후려쳤다.

"너는 나쁜 놈이다."

어머니는 한마디도 하지 않았다. 이상하게 대거리 하나 못한 어머니에게 범접하기 어려운 기운이 느껴졌다. 두 사람은 어머니 앞에서 유유히 사라졌다. 어머니는 자신에게 일어난 상황보다 벌겋게 자국 난 내 뺨이 더 큰일인 듯 내 볼을 만졌다.

"가자."

어머니가 앞서 갔다. 나는 '한의사 임성훈'이란 명패를 내동댕이치고 밖으로 나왔다.

"맘 쓰지 마라."

"나한테도 신경 쓰지 마요."

우리는 배관같이 연결된 몸 속 신경을 차단하는 의식을 한 번씩 주고받고 어머니는 첩보 작전을 수행 중인 듯 쏜살같이 골목을 빠져나갔다. 나는 그 뒤를 따라 집을 향했다.

우리 남편은 사다 준 스킨이나 로션을 잘 바르지 않는다는 둥, 남편이 한의원 원장이지만 쥐꼬리만큼 생활비를 타 쓰고, 얼마 전 군대 갔던 아들이 제대해 와서 등록금에 보태겠노라 야식 배달을 한다는 둥, 어머니는 순한 얼굴로 본인의 속내를 얘기했고 그럴 때마다 여자는 히이잉 웃었다고 했다. 그렇게 어머니는 그 여자 가게의 십 년이 넘는 단골이었다.

지금쯤 어머니는 아들의 부재를 눈치챘을까. 점점 운신할 수 없는 것이 이상했다. 무릎을 세워 보려고 했지만 통증이 심해 곧 포기했다. 허리를 오른쪽으로 틀어 보려고 움직이다가 그것 또한 그만두었다. 고개를 조금이라도 옆으로 돌릴 수 있는 것만으로도 다행이란 생각이 들었다. 논바닥이 눈에 들어왔다. 막 모내기를 끝낸 논바닥에 아직 뿌리내리지 못하고 쓰러진 어린 모가 눈에 들어왔다. 끝 간 데 없이 너른 논바닥 너머에서 부연 빛이 퍼지기 시작했지만 아직도 시야가 끝나는 곳 야산에는 어둠이 머물고 있었다. 그 어둠 속에서 찬란한 해가 떠오르려면 조금 더 기다려야 할 것이다. 어머니는 내가 요즘 일어난 사건의 충격으로 어딘가에서 비명횡사한 것이 틀림없다고 여길 수도 있었다. 전화도 불통인 아들을 가만히 앉아 기다릴 리 없어 족발집을 찾아가 내 행방을 물었을 것이고, 도리어 어머니에게 자신이 입은 손해에 대해 말했을 사장의 모습도 상상이 갔다. 어머니는 족발집을 나와 아버지 불륜을 목도하던 날처럼 연락 두절인 나를 찾아 부연 새벽 공기를 가르며 무작정 헤맬 것이 뻔했다. 명치가 저려왔다.

"너한테까지는 들키지 않기를 바랐는데……. 그래도 화장품 가게 여자라고는 꿈에도 생각 못 했다."

어머니는 말하는 내내 명랑한 것이 뭐냐고 묻는 얼굴을 했다. 아버지는 어머니가 열흘 동안 동네를 헤매는 사이에 자취를 감추었다. 지난 시간에 대한 변명도 사과도 없이 일어난 일들을 없던 일처럼 묻어 버리고 도망을 가 버렸다. 나는 어머니가 헤매는 열흘 동안 스무 살에 만나 사랑했고 남자가 명랑해서 좋아 보인다는 한 마디에 평생 명랑함을 잃지 않은, 이제는 건초처럼 가벼워진 쉰 된 어머니의 뒷모습이 저녁 잔영 속에 희미하게 보일만큼의 거리를 두고 뒤를 쫓아다녔다.

열흘 동안 아버지와 세 번 마주쳤는데 그때마다 아버지는 내게 나쁜 놈이란 말만 되풀이했다. 아버지는 흔들리기 전, 말간 물로 보이고 싶었던 상황이 언제까지 지속될 수 있다고 믿었을까. 아버지는 나로 인해 어머니에게 이중생활이 까발려진 것에 분노하고 있었다. 여자와의 관계가 십 년이라고 했다. 십 년이란 말에 힘이 들어갔다. 십 년 밖에 안 됐다는 말인지, 십 년이나 됐으니 인정하라는 것인지 애매했다. 아버지는 어머니에게 여자와 십 년 됐다는 말로 처음으로 흰 깃발을 단호하게 들어 올리고 사라졌다.

'시골로 내려왔소. 월급쟁이 한의사로 취직했소.'

아버지가 보낸 문자 메시지에는 모든 상황 정리는 어머니가 하고 싶은 대로 하라고 돼 있었다. 여자는 내가 좋아한 사람이라고, 불쌍하니 괴롭게 하지 말라고, 아버지는 어머니에게 오히려 여자를 이해해 달라고 부탁했다.

문자 메시지는 어머니에게 보내 온 아버지의 오래 묵은 흰 깃발이며 동시에 붉은 깃발이기도 했다. 아버지가 불쌍하다고 지목한 사람은 어머니가 아니라 화장품 가게 여자였다. 아버지는 이제 와서 어머니에게 하고 싶은 대로 하라고 했다. 하고 싶은 대로 하라고 했지만 결혼 생활 통틀어 하고 싶은 것을 해봤을 리 없고, 하고 싶은 것이 무엇인지조차 잊고 살았던 어머니였다. 47평 대지에 1층과 2층을 합쳐 34평 단독 주택이 재산의 전부인데 뭘 하고 싶은 대로 하라는 것인지 모를 일이었다. 그 집도 아버지 명의로 돼 있었다. 언젠가 아버지가 흔드는 깃발이 밝은 가정, 풍요로운 가정을 만들 것이라고 기대했었다. 파르초처럼 바라보고 합장만 해도 지켜주고 희망이 되어 주기를 기대했다. 아버지의 깃발은 그야말로 연출에 불과했던 것이었다.

기억의 짜깁기는 명확하게 맞춰져 갔다. 논두렁길에서 과하게 속력을 내다가 돌부리에 걸렸거나 심한 코너링을 하다 튕겨져 나갔을 것이다. 어머니와 사장이 여러 차례 전화를 했을 것이지만 사고가 나면서 휴대폰도 박살이 났는지 아무 소리가 없었다. 유일하게 어머니만이 연락 두절된 나를 찾아 족발집이나 도서관으로 가서 문 여는 시간을 기다리며 초조해 하고 있었을 것이다.

나는 의지하고 싶은 대상을 찾아 마음을 모아 지금의 상황을 끝낼 수 있도록 힘을 얻고 싶었다. 십여 명이 모여 족발 한 접시 시켜 놓고 둘러앉은 외국인 노동자들이 오히려 평안할 것 같았다. 비좁고 냄새나는 공장에서도 그들이 분노하는 모습을 보지 못했다. 그래서 어젯밤 그들의 분노가 더 놀라웠다. 아버지가 휘날리던 깃발이 나와 어머니에게 파르초가 돼 줄 것이라고 믿었다. 웃음이 나왔다.

다리도 팔도 움직일 수가 없었다. 지나가는 차량이 나를 발견할 때까지 기다려야 했다.

'손을 움직일 수 있다면 야광 깃발을 들어 흔들면 좋을 텐데. 야광 깃발을 흔든다면 그것은 간절한 구원의 표시일 테지. 훗날 내가 깃발 하나쯤 가진다면, 그래서 그 깃발을 흔든다면 그 깃발의 의미는 파르초와 아버지의 깃발 사이 어디쯤 있을까? 깃발을 깃대에서 떼는 것은 무슨 의미일까. 깃대에 붙은 채 펄럭이는 것은 또 어떤 의미 일까?'

깃발은 깃대에 매달려 있을 때 제 역할을 한다. 아무리 아우성쳐도 깃대에서 떨어져 나가면 의미 없는 것이 될 것이다. 그래서 모두 깃대에 붙은 채 펄럭이는 것일까. 나로서는 짐작하기 쉽지 않은 일이었다.

멀리 산기슭에서부터 해가 떠오르려는지 붉은 기미가 보였다. 잠깐 잠이 들었던 것일까, 푸르스름한 하늘이 퍼지는 햇살과 겹쳤다. 티베트의 하늘에 펄럭이던 깃발처럼 보였다. 수백 개의 깃발이 색색으로 제각각 바람을 맞으며 펄럭이던 장엄한 모습이 눈에 선했다. 합장을 하고 싶었다. 내 속에서도 뭔가 꿈틀댔다. 그런데 움직일 수가 없다. 오토바이 꽁무니에서 저팔계를 흉내 낸 아기 돼지 야광 깃발이 우우 울고 있었다. 먼 곳에서부터 자동차 소리가 점점 크게 들리는데 자꾸 눈이 감겨 왔다.

바람은 불고 싶은 데로 분다

아파트 긴 복도를 걷는 내내 할아버지가 나를 부른 이유를 생각했다. 이유를 묻지도 않고 뵙겠다고 한 것부터 잘못이었다. 망설임 없이 대답한 것은 반 년 넘게 찾아뵙지 못한 부담 때문만은 아니었다. 할아버지는 오라는 말 앞에 '꼭'이라는 말을 붙였다. 할아버지 성품으로 미루어 반드시 그럴만한 이유가 있을 것이라고 생각했다.

현관을 들어서는데 널브러진 사과 박스 몇 개가 눈에 들어왔다.

'아, 이별이구나.'

이별을 해 본 사람이 느낄 수 있는 기류.

할머니는 열대 식물과 꽃문양이 프린팅 된 하와이풍의 여행용 원피스를 입고 있었다. 할아버지 눈빛이 가늘게 떨렸다. 평소 할머니가 귀여워 어쩔 줄 모르던 눈빛에 아쉬움이 일었다. 목례를 했다.

"어서 와라 선영아."

할아버지 조막손이 내 손등을 쓰다듬었다. 손가락이 잘려 나간 뭉툭한 할아버지의 왼손이 아기 살갗처럼 여렸다. 그 촉감이 싫지 않았다. 할아버지는 젊어서 화약 공장에 다닐 때 화약이 터져 손가락이 잘려 나갔다고 했다. 오늘은 이상하게 두 사람의 움직임이 태엽이 곧 멈출 인형처럼 느리고 자연스럽지 않았다. 경쾌하게 쏟아지는 수돗물만 이 집에서 활기를 느끼게 했다. 할머니는 딸기를 씻어 접시에 올려놓고 수돗물을 잠갔다.

"바쁜데 보자고 해서 미안해."

나는 대답 대신 집안을 둘러보았다.

영구 임대 17평 정남향 아파트. 더블 침대를 놓으면 붙박이장 문을 겨우 열 수 있는 작은 방과 냉장고와 식탁을 배치한 좁은 주방, 3인용 소파가 놓인 거실이 전부였다. 이상한 일이었다. 올 때마다 아늑해 보였다. 다시 둘러봐도 아늑했다. 뿔뿔이 흩어져 사는 우리 가족 중 유일하게 사람 사는 것처럼 산다고 느꼈기 때문일까.

할아버지와 할머니가 살림을 차린 것은 삼 년 전이었다. 먹는 것, 입는 것에서도 두 사람은 동질감을 느끼는 듯했고 충분히 즐거운 일상을 보낸다고 생각했다. 지켜보는 나까지 미소 짓게 하는, 그래서 할아버지와 할머니의 이별을 전혀 예측하지 못했다.

갑자기 답답해졌다. 베란다 창에 내려진 블라인드를 올렸다. 블라인드는 할머니가 딱 한 번 다녀왔다는 아들이 사는 하와이 풍경이 프린팅 된 것이었다. 블라인드가 올라가면서 햇빛이 칼끝처럼 눈을 찔렀다. 찡그린 눈에 창밖으로 멀리 펼쳐진 바다 풍경이 들어왔다. 조업을 끝낸 통통배들이 휴식을 위해 소래포구 갯골로 들어오고 있었다. 큰 배들은 바닷물이 더 차오르기를 기다리며 갯골 가장자리에 서 있었다.

'평화롭다. 그래. 멀리서, 멀리서 보니까 평화로운 거야.'

혼자 중얼거리는데 할머니가 나를 툭 쳤다.

"이 책 말이야. 들고 가려고 빼 놨는데 너무 크고 무거워……. 미안하다만 상자들 보낼 때 택배로 보내줄 수 있을까?"

양장본 성경책이었다. 할아버지는 당신이 다니는 성당에서 할머니가 세례를 받을 때도 오늘처럼 나를 불렀다.

"네가 와 줘야겠다. 세례식 전에 혼배성사를 받는다는데 증인이 필요하다는구나."

그때 내가 할머니에게 사 준 성경책이었다. 글씨가 가장 큰 것을 고르려니 책 크기가 대단했다. 그게 짐이 될 줄이야.

"그럴게요……. 그런데 이건 다 뭐죠?"

나는 청색 테이프로 단단히 봉한 세 개의 사과 박스를 가리켰다. 할머니는 대답 대신 일단 앉자는 뜻으로 손끝을 까딱거리며 딸기 접시를 방바닥에 내려놓았다.

"무슨 일 있는 거죠?"

"돌아가야 할 일이 생겼어. 영감님하고 너한테 정말 미안하구나."

할머니는 파마 할 시기가 지나 제멋대로 뻗친 연회색 머리칼을 손가락으로 끌어 올려 득득 긁어 내렸다. 알 필요 없다는 표정은 아니었지만, 더는 말하기 싫다는 듯 침묵했다. 잠깐 외출을 다녀오겠다는 듯이 무념한 표정이었다.

"대체 무슨 일인데, 돌아가시겠다는 거죠?"

'두 사람이 싸우기라도 했나?'

그런 가능성을 염두에 두고 할아버지에게 물었다.

"할머니가 일이 생겨 가야 한다니 어쩌겠니."

"생긴 일이란 게 대체 뭔 일이냐고요?"

짜증 섞인 내 말 때문인지 다시 침묵이 이어졌다. 넓은 반소매 아래로 할아버지의 깡마른 양팔이 축 처져 있었다. 팔은 게다리처럼 가늘었다. 다문 입 때문인지 할아버지의 볼이 한층 움푹 패여 보였다. 괜히 신경질을 부렸나 싶은 순간 묻고 싶었던 말과 의문을 잠재운 것은 할아버지의 이어지는 말이었다.

"할머니를 그냥 보내기는 서운한데 어떻게 해야 할지 몰라서…… 그래서 선영이 너를……."

할아버지는 말을 끝맺지 않은 채 게 다리 같은 양팔을 올려 자신의 얼굴을 몇 번 쓸어내렸다.

'선영아, 네가 할머니 못 가게 말려 줄래?'

할아버지 눈빛이 그렇게 말하는 듯했다.

"할머니 꼭 가셔야겠어요? 생겼다는 일이 할아버지보다 더 중요해요?"

"미안하구나."

말과 같지 않게 할머니 얼굴에서 미안한 표정은 없어 보였다. 청색 테이프로 봉한 사과 박스같이 할머니는 입을 다문 채 무구한 눈빛으로 내게 딸기를 건넸다. 딸기 씨 씹는 소리가 들릴 만큼 방안은 고요했다.

침묵을 깬 것은 문자 수신음이었다. 근태가 보낸 것이었다.

"오피스텔 계약이 만료가 되어 가."

"나도 그런데……."

그 말이 화근이었다.

"삼 년이면 됐지. 언제까지 닭장만한 방 한 칸씩 차지하고 네 닭장, 내 닭장으로 옮겨 다녀야 하겠니?"

결론은 두 집을 합치자는 거였다. 근태는 방이 여러 개 있어 섹스나 싸움도 안방이 싫증나면 거실로, 거실이 싫증나면 문간방으로 옮길 수 있는 아파트로 이사 가는 게 꿈이라고 했다. 근태의 꿈을 실현하려면 내 오피스텔 임대 보증금이 필요하다는 거였다. 나는 아직 그러고 싶지 않다고 했다. 누군가를 배려

하고 참는 일상은 백화점 일만으로도 벅찼다. 그 누군가가 비록 근태라 해도 그랬다. 근태는 내 의사와 상관없이 수시로 보챘다. 휴대전화를 가방에 넣었다. 내가 근태의 간절함에 동조하고 싶지 않듯 할머니에게 생긴 일이 할아버지와 사는 일보다 더 간절할 수 있을 거란, 그래서 미안함까지도 상쇄할 분명한 무엇인가 할머니에게도 있을 수 있다는 생각을 그동안 하지 못했다.

"전립선암 치료는 매달 셋째 주 화요일, 혈압과 갑상선 체크는 두 달에 한 번 마지막 주 목요일이야."

할머니가 메모지 한 장을 건네며 할아버지 병원 일정을 일러주었다. 전립선암은 육 개월 전 백화점 휴무를 맞아 할아버지와 병원에 동행한 날 받은 진단이었다. 의사는 생명에 지장이 없다고 했다.

"약 먹는 동안 생기는 부작용이 있어요. 호르몬 치료로 가슴이 커지고 성격이 온순해지니까 할머니께 더 사랑 받는다는 게 부작용입니다."

나는 웃었고, 할머니는 눈물을 훔쳤다.

"선영아, 할아버지 병원 갈 때만이라도 좀……."

"시간이 맞으면요."

무심히 답하며 창밖 소래포구 갯골에 눈을 두었다. 좀 전까지 갯골 가장자리에 서 있던 큰 배들은 포구로 들어가고 보이지 않았다. 높아진 해수면에 햇빛이 얼음판처럼 투명하게 빛났다.

"대상포진 자리가 자꾸 도지더라. 그럴 때마다 병원에 모시고 가야 해."

나는 마지못해 고개를 끄덕였다.

"필요한 거 있으면 뭐든 가져가구려."

"아이 참, 다 챙겼어요. 다 산 양반처럼 왜 그러세요? 내게 필요한 것은 당신한테도 필요할 텐데요."

할머니는 악의 없이 할아버지에게 눈을 흘겼다. 다정한 오누이처럼 보였지만 내게 익숙한 풍경은 아니었다.

할아버지와 살림을 합치기 전 할머니는 여수에서 살았다고 했다. 할아버지는 게이트볼장에서 할머니를 만났다. 당시 할머니는 여동생 집에 놀러 왔다가 동생을 따라간 게이트볼장에서 할아버지를 만났다고 했다. 환하게 웃는 할머니를 소개 받고 구애를 시작한 지 삼 개월 만에 할아버지의 임대 주택에서 두 사람은 살림을 차렸다. 할아버지는 할머니가 신 김치를 싫어한다는 말에 김치냉장고를 샀다.

"무릎 관절이 아파 바닥은 불편해요."

할머니의 말에 할아버지는 곧 더블 침대와 3인용 소파도 들여왔다.

"에어컨은 왜 샀는지 몰라. 전기세 무서워 켜지도 못하게 하면서…….”

세 번째 여름을 맞는 할머니는 푸념을 늘어놓았다. 그런 할아버지와 할머니가 내 앞에서 살림을 나누고 있었다. 할아버지가 무슨 말을 하려고 입을 떼는 순간, 내 휴대전화에서 울린 벨소리 때문에 할아버지는 다시 입을 닫았다. 근태였다. 받을지 말지 잠시 망설이다 휴대전화를 들고 복도로 나왔다. 필요 이상 길게 말하는 일이 없던 근태가 차근차근 말을 이어갔다.

“먼저 합치고 삼 년 안에 꼭 식장 잡는다. 둘 다 서른 중반인데 결혼을 더 미루겠니?”

나는 전화를 끊고 문자를 찍었다.

–그건 네 생각이고.

우체국을 가려고 일어났다. 자동차 트렁크에 짐을 싣고 두 사람은 뒷좌석에 올랐다. 룸미러 안에 차창 밖을 내다보는 두 사람이 들어왔다. 왠지 쓸쓸해 보였다.

“여보, 진즉에 우리 셋이 가까운 데라도 소풍 나올걸 그랬어요. 아참, 내 정신 좀 봐, 바쁜 선영이가 소풍 나올 새가 어디 있다고…….”

할머니가 부르는 ‘여보’라는 호칭이 다정하게 들렸다. 내가 근태에게 부르는 ‘자기’와 같은 것일 텐데 더욱 친밀하게 들렸다. ‘여보’라는 호칭을 주고받는 할아버지와 할머니가 내일이면

헤어져야 한다는 것이 의아했다.

"오늘 우리 셋이 모였으니 소풍 나온 셈 칩시다. 그렇지 선영아?"

"그러세요."

근태와의 약속이 걸리긴 했지만 서둘러 다닌다면 제 시간에 당도할 수 있을 거라고 짐작했다. 내 대답까지 듣고 난 뒤 룸미러에 비친 두 사람은 바로 들뜬 표정으로 변했다.

우체국에 들러 성경책과 사과 박스를 택배로 보냈다. 주소를 쓰고 택배를 보내는 내내 할아버지 눈은 사과 박스를 향했지만 마음은 할머니가 내려가는 충주로 향하는 듯했다. 성서 구절이 떠올랐다.

'바람은 불고 싶은 데로 분다. 너는 그 소리를 듣고도 어디에서 와 어디로 가는지 모른다.'

바람 부는 방향을 바꿀 수 없는 세 사람이 우체국을 나섰다.

"네 애비한테는 우리 얘기 하지 마라. 원룸 때문에 불철주야 고생하는데 맘 쓴다. 할아버지 잘 지낼 수 있어."

아버지는 장사가 잘되던 떡집을 팔고 지방 대학가 원룸 단지에다 다가구 주택을 샀다고 했다.

"지루해서 더 이상은 싫어."

지루하단 것이 이유였다. 나는 충분히 그럴 수 있다고, 오랜 기간 새벽잠을 반납하고 일 한 세월이 충분히 지겹게 생각됐을 거라고 짐작했다.

할아버지와 나는 그렇게 이해했다. 아버지는 떡집이 휴일이면 동네 상인들과 고스톱을 쳤다. 그것이 아버지가 지루한 시간을 견디게 하는 유일한 놀이라고 믿었다. 그러던 아버지가 성인 오락실이나 카지노를 출입했다. 아버지는 원룸 세받는 일을 하면서 많아진 시간을 그렇게 보낸 거였다. 원룸 건물이 경매에 넘어가고 채권자들에게 쫓기게 되었다. 나는 법원에서 아버지 앞으로 날아오는 등기를 열어 보지도, 묻지도, 대답도 하지 않고 기막힌 상황에서 귀 막고 입을 다물었다. 적금과 예금 통장을 깨고 돌아온 날, 바람의 방향을 바꿀 수 있는 힘이 내게 없다는 걸 알고 가슴이 아렸다.

우리는 우체국을 나와 점심을 먹기 위해 중식당으로 향했다. 두 사람이 자주 가는 곳이라고 했다.

"여기서 가까워. 우리 걷자."

"그러세요."

할머니가 앞서 걷기 시작했다. 초여름 볕인데 벌써 뜨거웠다. 얼마 뒤 나는 두 사람을 앞질러 걷다가 도서관을 왼편으로 끼고 카페까지 있는 커다란 교회 앞 갈림길에서 뒤를 돌아봤다. 할머니가 공원 방향으로 손가락을 가리켰다. 입은 옷 때문인지 손을 잡은 두 사람은 거리에서 판매하는 한 폭의 유화처럼 보였다. 모퉁이를 돌자 한 무리의 자전거를 탄 사람들이 홱 지나갔다. 할머니를 감싸 안고 길가로 피해 있던 할아버지가 "바로 이곳이다!"라고 소리쳤다. 올려다보니 붉은 간판이 걸린 중식당이 보였다. 우리는 짜장면을 앞에 놓고 앉았다.

"입술이 달아났수? 흘리고 먹긴."

할머니는 할아버지 입가에 흘러내린 짜장면 가닥을 떼어 냈다.

"당신은 턱이 달아난 게야?"

할아버지가 손을 들자 할머니는 닦아 달라는 듯 입을 앞으로 쭉 내밀었다. 입가를 서로 닦아 주는 것을 지켜보면서 내 입가에도 뭔가가 묻어 있을 것만 같아 덩달아 입가를 닦았다. 할머니는 할아버지 짜장면 그릇에 단무지를 올려 주고 나를 쳐다봤다.

"선영아, 많이 먹어. 여기 단무지는 물컹해서 좋더라."

웃는 할아버지 누런 잇새로 단무지 조각들이 끼어 있었다.

"짜장면에 들어간 돼지고기도 냄새가 안 나 좋아요."

"맞아요."

할머니 말이 끝나자 할아버지는 돼지고기 조각을 찾으려 짜장면 고명을 휘저었다. 휘젓는 나무젓가락이 황새 부리처럼 보였다. 할아버지는 돼지고기 조각을 나무젓가락으로 집어 할머니 짜장면 그릇에 열심히 옮겨 줬다.

나는 잦은 배 멀미를 하듯 알 수 없는 것들로 자주 출렁이고 요동치는데 저 나이가 되면 항구에 닻을 내린 것처럼 언제나

고요할 수 있겠구나 싶었다. 그래서 내일 헤어져도 저토록 담담할 수 있는 것인지 궁금했다. 할아버지는 날씨도 좋으니 점심 먹고 공원에나 가자고 했다. 자주 가는 공원인데 나에게도 보여 주고 싶다고 했다. 공원에 가자고 한 뒤로 할아버지의 표정이 한결 밝아졌다.

공원은 중식당과 근접해 있었다. 할아버지가 다니던 화약 공장이 지방 소도시로 이주하면서 공원으로 조성된 곳이라고 했다. 두 사람이 자주 산책한다는 곳이지만 나는 처음 오는 곳이었다. 걷는 내내 할머니는 할아버지 손을 끌어다 잡고 걸었다.

연둣빛 공원은 한산했다.

"선영이만큼 예쁘구나."

만발한 꽃 앞에 멈춰 선 할머니가 말했다. 왠지 할머니 말은 꽃다운 나이가 할머니에게도 있었다고 말하는 것처럼 들렸다. 너른 잔디밭 한편에 울타리를 치고 양 떼가 뛰어 놀게 만들어 놓은 곳으로 갔다. 일곱 마리의 양들이 울타리 안에서 서성였다. 펜스에 붙은 안내문에는 양 떼 목장의 운영 시간을 제한한다고 쓰여 있었다. 그러니까 양들은 출근과 퇴근 시간이 정해져 있는 거였다. 양들은 아침 여덟 시에 출근해 사람들의 마음을 훈훈하게 하고 오후 여섯 시에 퇴근하는 거였다. 얼마 뒤 선생님의 구령에 맞춰 어린이집 아이들이 걸어왔다. 아이들은 똑같은 노란색 활동복을 입고 삐악거렸다. 선생님이 쥐어 주는 풀을 양에게 먹이고 까르르거렸다. 할아버지와 할머니도 양에게 먹이를 주며 즐거워했다. 우리는 노랑 병아리 같은 어린이집 아이들이 떠날 때까지 30분을 머물렀다. 양 떼 우리를 끼고 우측으로 접어들었다. 바닥이 녹색인 넓은 축구장이 나왔다. 할아버지는 그곳이 두 사람의 전용 운동장이라고 했다.

"추울 때만 빼고 자주 걷는단다."

나는 왜 그곳에서만 걷느냐고 물었다.

"바닥이 인조 잔디거든."

무릎 관절에 무리가 적어 좋다는 말에 나는 고개를 끄덕였다. 우리는 아래쪽으로 더 내려갔다. 커다란 호수 두 개가 나왔다. 호수와 호수 사이는 나무로 만든 아치형 다리로 연결돼 있었다. 우리는 다리를 따라 반대편으로 건너갔다. 여전히 두 사람은 손을 잡고 걸었다. 잡은 손을 보니 휘파람 소리가 들려오는 것 같은 착각이 들었다. 호수에는 많은 잉어가 헤엄쳐 다녔다. 붉은빛 잉어와 노란빛과 은빛 잉어가 현란하게 유영하는 것을 한참 들여다보고 있자니 나도 검푸른 호수에 뛰어 들어 비단잉어처럼 자유롭게 유영하고 싶은 기분이 들었다.

생각과 말을 보장받는 것이 자유라면, 백화점 고객 상담실에 앉아 윤선영이 아닌 백화점 소모품으로 지내는 나는 자유와는 멀었다. 선순환을 위해 결코 쌍방이 노력할 수 없는 곳, 고객과 출발부터 평등한 관계가 아닌, 감정 노동을 요구하는 곳에서

칠 년을 지냈다. 회사에서 원하는 말투와 표정을 흉내 내느라 나는 내가 누구인지 조금씩 잊어 갔다. 편을 들지 않았다고 당장 달려가 죽여 버리겠다며 전화를 끊는 고객이 아니라도 상담실에 앉아 있을 때마다 매일 조금씩 죽어 가는 기분이다.

'저 많은 잉어에게는 뭘 먹일까? 저들은 큰 연못이 집이겠구나.'

쓸데없는 생각을 하는데 할아버지가 손을 뻗어 원두막을 가리켰다. 우리는 그쪽으로 발을 옮겼다. 원두막 주변의 소나무에서 솔 향이 퍼져 숨 쉴 때마다 폐부 깊은 곳까지 상쾌해졌다. 공원은 만든 것이지만 그곳 식물들은 인공적이지 않아 보였다. 지나가던 중년 여자 셋은 우리를 보느라 목이 옆으로 꺾인 채 걸었다.

"우리가 예뻐 보이는지 저 사람들이 한참을 쳐다보며 가네요."

"우리처럼 소풍 나왔겠지."

할아버지는 여자들이 지나간 방향을 바라보며 말했다. 공원에서 오히려 부자연스러운 것은 하와이풍 옷을 입고 나타난 할아버지와 할머니였다. 호수 한쪽에는 오리가 떠 다녔다. 두 사람은 저것 좀 보라며 손가락으로 가리켰다. 할머니와 할아버지가 두런대는 것이 할아버지가 평소에 흥얼거리는 노랫가락처럼 들렸다.

"오리는 꼭 두 마리씩 짝 지어 다녀요. 저기 좀 봐요."

할머니가 가리키는 손끝을 따라갔다. 그곳에는 현란한 몸짓으로 물속으로 사라졌다 다시 올라오는 두 마리 오리가 있었다. 먹이를 찾는 듯 보였다. 나는 오리가 예상치도 못한 곳에서 머리를 내미는 것이 재밌어 집중해서 보는데 할아버지가 소리쳤다.

"어휴 덩달아 숨차네, 갑시다."

"네, 가요."

두 사람은 갑자기 못 볼 것을 본 사람처럼 누가 먼저랄 것도 없이 돌아서 걸었다. 호수 반대편에 이르렀다. 두 아름도 넘는 플라타너스 나무 여러 그루가 호숫가에 수문장처럼 줄지어 서 있었다.

"선영아, 꼭대기 좀 올려다봐라. 이백 년은 가까이 됐을 게다. 화약 공장이 있기 전부터 이 자리를 지키고 있었다니까."

"정말 대단하네요. 가까이에 이런 곳이 있어 좋겠어요."

"할머니가 가면 혼자 얼마나 오게 될까 싶다. 이곳이 다 우리 회사 부지였어. 위력이 약한 화약이 터졌으니 손가락만 잘렸지, 그 자리서 잘못된 사람도 많았다."

할아버지는 회사 부지를 말할 때 허공으로 조막손을 뻗어 넓게 원을 그렸다.

"어휴, 그 얘기는 올 때마다 들어서 다 외웠어요."

할머니의 말에 할아버지가 웃었다. 희끄무레한 플라타너스 나무줄기를 따라 할아버지가 가리키는 나무 끝을 올려다보았다. 잎사귀에 한낮의 햇살이 내려앉아 눈이 부셨다. 옆에 선 나무는 마른 가지만 앙상했다. 허리를 구부려 이미 썩은 나무 밑동을 바라보았다.

"사람이 후손을 남기듯 나무도 죽으면서 후손을 남긴단다. 그것 봐라. 썩어 거름이 되어 주는 조상 나무 양분으로 후손 나무가 자라고 있잖니! 머지않아 이것도 하늘 높이 올라가는 거목으로 자랄 게다."

할아버지 말대로 썩은 밑동 가까이서 여린 줄기가 자라고 있었다.

"이 나무는 줄기 속이 텅 비어 있어도 이렇게 살고 있잖니."

뿌리에서 나무껍질을 통해 양분을 끌어올려 살아간다고도 했다. 깡마른 할아버지가 아직 자신의 건재함을 과시하는 것처럼 들렸다.

열일곱 살에 학도병으로 내려와 전쟁터에서 여러 번 사선(死線)을 넘었다고 했다. 화약 공장에서 손가락을 잘리고, 몇 겹의 삶을 살아 낸 할아버지가 햇빛을 받고 서 있었다. 그 모습은 마치 한줄기 햇살처럼 보였다. 저 나이에 할머니와의 이별을 경험하면서 또 한 겹의 생이 할아버지 지난 생에 포개어 지겠구나 싶었다.

할아버지에게도 나무처럼 싱싱한 청춘이 있었다는 것이 믿겨지지 않았다. 날 때부터 노인은 아니었을 테니 아까 보았던 어린이집 병아리 같은 시절을 지나 지금의 할아버지가 되었을 것이다. 가늠하기 어렵지만 병아리 적 할아버지를 상상해 보려 애썼다. 피식, 웃음이 나와 나는 호수 수면 저편에 짝을 지어 옮겨 다니는 오리에게 눈을 돌렸다.

"참 좋다. 날씨 말예요. 꼭 하와이 날씨 같아요."

하늘을 올려다보는 할머니는 볕 때문에 얼굴을 찡그리느라 주름이 더 짙게 드러났다. 나는 할머니가 한 번 다녀왔다던 하와이를 오랜 세월 가슴에 품고 있는 것은 그 땅에 있는 아들을 품고 있는 것이라고 생각했다.

"부상당한 손가락 때문에 수도를 담당하는 부서로 옮겨 반장으로 승진도 하고 편하게 다녔단다."

좀 전에 들었던 할아버지의 목소리가 바람을 타고 다시 들리는 듯했다. 나는 두 사람이 서로 다른 추억을 말하면서도 마주 보고 웃는 것을 조용히 바라보았다. 두 사람에게 이별이란 뭘까. 저 나이의 이별은 저런 것이라면, 나도 노인이 된다는 것이 두렵지 만은 않겠다는 생각이 들었다.

나에게도 두 사람처럼 갑작스런 이별이 있었다. 십 년 전, 죽어 가면서 잡은 엄마의 손은 내게 많은 말을 했다. 상식적이지 않은 사람, 엄마를 두고 아버지가 한 말이었다. 상식적이지 못한 엄마를 헤아리고 이해하려는 사람은 가족 중 누구도 없었다. 가출을 밥 먹듯 하고 자식을 돌보지 못하는 이유가 뭐냐고 누구도 묻지 않았다. 아버지의 떡집이 번창할 무렵, 며칠씩, 때로는 몇 달씩 가출하고 돌아온 엄마 얼굴은 행복하거나 달콤한 경험을 한 얼굴이 아니었다. 그 무렵 어린 내 눈에도 엄마의 반복된 가출은 아버지의 일상에 조금도 영향을 주지 않는 듯 보였다. 그것이 엄마를 가출과 좌절을 반복하게 했다.

"주문 받은 떡은 어쩌고 찾아다녀."

가출한 엄마를 찾는 나에게 하는 아버지의 한결같은 대답이었다.

"바빠서 엄마 옆에서 잘 수가 없는 것이지 방치한 것이 아니야."

어린 나는 그 말에 공감했으므로 아버지를 원망하지 않았다. 중학교 입학 직후, 엄마는 아버지가 건네 준 이백만 원을 받고 이혼을 해 주고 떠났다. 엄마는 죽는 날까지 틈만 나면 내 양육권을 아빠에게 빼앗겼다고 우겼지만, 아빠에게 나를 버린 것이나 다름없었다. 그렇게 믿어서 우기는 것인지, 우기다 보니 그렇게 믿게 된 것인지 나는 지금도 모른다. 모르기 때문에 엄마에 대한 기억은 늘 괴로웠다. 엄마는 잡은 손만 부르르 떨 뿐 지난 삶에 변명 한마디 없이 떠났다.

"들어가시죠."

"좀 더 있자. 있고 싶어."

할머니 말에 나는 하늘을 다시 올려다보았다. 하늘은 높고 청명했다. 또 얼마간의 정적이 흘렀다. 내 휴대폰에서 문자를 알리는 음이 고요를 흔들었다. 근태가 보낸 문자였다. 나는 짐작 가능한 근태의 문자를 확인하지 않고 휴대폰을 다시 넣었다. 가까운 곳에서 할아버지는 죽은 나뭇가지를 분지르고 있었다. 따악, 가지 부러지는 소리가 고요한 호수 주변으로 퍼져나갔다.

"공원에서는 죽은 나무도 부러뜨리면 안돼요."

나는 할아버지께 괜한 퉁명을 부렸다.

"본래 죽은 가지는 가지치기해서 태워야 하는데 일손이 부족해서 놔 뒀을 거예요."

할머니는 내 말이 거슬렸는지 할아버지 편을 들며 죽은 가지를 연거푸 분질렀다.

아버지는 할아버지의 재혼을 두고 나이를 들먹였다.

"그 나이에 욕심도 과하지, 세상 이목도 있는데."

그때 나선 사람은 할아버지가 아니고 할머니였다.

"아버지를 나보다 더 즐겁고 행복하게 해 줄 자신 있으면 당장 모셔가게."

정상적인 나이에 정상적으로 만난 아버지와 엄마는 가장 비정상적인 부부로 살았다. 아버지는 며칠 뒤 돌아섰다. 그리고 삼 년이 흘렀다.

두 사람을 공원에 두고 밖으로 나왔다. 현금 인출기를 찾기 위해 한참을 헤맸다. 한산한 탓인지 자동차도 행인도 신호를 무용지물로 만드는 도로 앞에 섰다. 나도 그 무리에 끼어 무단으로 길을 건너 대형 마트 안에서 할머니에게 줄 돈을 인출해 다시 공원으로 향했다.

걷는 내내 지금의 내 궁핍한 마음의 고리를 채워 줄 사람이 생각나지 않았다. 그럴 때마다 근태가 왜 떠오르지 않는 것인지 의아했다. 방법이 없었다. 자신을 철저하게 단속해서 아닌 척 견디는 수밖에. 그것이 가장 익숙하니까. 팔을 열심히 휘두르며 오던 길을 되짚어 걸었다. 공원 입구에서 커피 세 잔을 샀다. 냉커피를 힘껏 빨아 마셨다. 커피가 몸으로 퍼지면서 침울한 기분이 좀 나아지는 듯 했다.

다시 찾은 공원은 아무도 보이지 않았다. 양에게 먹이를 주던 어린아이와 엄마도, 집게를 가지고 쓰레기를 줍던 관리인도 보이지 않았다. 할아버지와 할머니도 사라지고 없었다. 어디로 간 것일까. 아무 말 없이 다녀온 내 불찰 탓에 막막해졌다. 좀 전의 플라타너스 나무를 지나쳤다. 큰 그늘 밑을 걷는데 기분 탓인지 한기가 느껴졌다. 나는 한참 우두커니 서서 꼼짝 못 했다.

'어디 갔지? 나는 어디로 가야하나?'

나는 혼란스러웠다.

가끔 지금처럼 혼란할 때가 있었다. 고객은 토시 하나도 놓치지 않고 자신의 이야기를 들어 주기를 원했다. 그것도 충분히, 집중해서. 나는 나름대로 노력했지만 고객이 만족하지 못했을 때는 예측할 수 없는 반응이 돌아왔다. 그럴 때마다 병증처럼 찾아오는 혼란을 벗고 다음날 출근하는 일만도 내게는 버거운 일이었다. 그런 내가 할아버지와 할머니를 이해한다는 것은 가당치 못한 일이라고 생각했다. 조금 전까지 쾌적하고 안정감 있던 공원이 갑자기 빨리 빠져나가야 할 장소가 되었다. 갑자기 울린 휴대전화 벨소리에 깜짝 놀라 나도 모르게 몸을 움찔했다.

"기다리다 집에 왔어. 걱정할까봐 전화해."

할머니 목소리를 듣는데 목이 메어 서둘러 끊었다.

아침처럼 복잡한 심경으로 긴 복도를 걷는 동안 창문에 비친 붉은 저녁노을이 성당 스테인드글라스처럼 빛을 발했다. 빛을 보다 들어와서인지 두 사람이 벗어 놓은 신발이 희미하게 눈에 들어왔다. 나는 거실로 들어가 실내등을 켰다. 할아버지가 불을 껐다. 이번에는 할머니가 다시 켰다. 할아버지가 다시 실내등 스위치를 눌렀다.

"컴컴한데 왜 그래요?"

할머니가 언성을 높인 탓인지 할아버지는 실내등을 다시 끄지 않았지만 머리를 긁적거리며 창가로 갔다.

"겨우 여섯 시예요. 밖은 아직 해가 쨍한데 무슨 전깃불을……."

할아버지가 중얼거렸다. 두 사람도 나를 찾아 헤매다 들어왔다고 했다. 우리는 커피를 마시며 각기 다른 곳을 바라보았다.

"선영아, 저 갯골 끝나는 곳에 염전 있던 거 알지? 지금은 폐염전 자리에 소래습지생태 공원인지 뭔지가 생겼어. 일제 때 소금을 수탈하기 위해 만든 염전인데 협궤 열차도 그걸 실어 나르기 위해 그때 개설한 거라더라. 너 어려서 서너 번 망둥이 잡으러 갯골이니 염전 근처로 나랑 쏘다닌 거 생각나니?"

"전혀요."

나는 창가로 가 할아버지 등 뒤에서 짧게 대답했다. 많지 않은 추억이라도 나누다 보면 무심히 이 집을 나서기 어려울 것 같아서였다. 바닷물이 빠져나간 소래포구 갯골은 진흙 위로 해가 비춰 검게 빛났다.

"가시가 잘 박히는데…… 손가락에 박힌 가시는 누가 빼 주지……."

할아버지는 딱히 나와 할머니에게 아니라는 듯 혼잣말로 침묵을 깼다.

"뭐든 한 손으로 하니까 가시가 잘 박히죠. 조심하는 수밖에요."

"대상포진 있던 자리 말야. 그 자리에 파스는 누가 붙여 주나."

"아프면 병원으로 달려가야지 절대 파스 붙이면 안돼요. 언젠가 당신이 우겨서 파스 붙였다가 물집 생겨 오래 고생했잖아요."

할머니는 꼭 병원을 가라고 단단히 이르며 면박을 줬다. 할아버지는 또 생각에 잠겼다가 입을 열었다.

"조개탕은 못 먹어도 한 달에 두 번은 먹어야 하는데 어떻게 만드나 가르쳐 주든지 하구려."

"무슨 소리예요? 뜨거운 거 잘못 만졌다간 큰일 나요. 더구나 한 손으로는 더더욱요. 역 앞 홍가네 식당에서 사 먹고 절대 만들어 먹을 생각일랑 마세요."

할머니는 어린애를 타이르듯 근심 어린 얼굴을 했다. 나는 두 사람이 나누는 말에 끼어들지 않으려 침묵했다. 일어나고 싶어 엉덩이를 들썩이다 마주친 할아버지 눈을 보고 겨우 입을 열었다.

"할아버지, 백화점은 한 달에 한 번 문 닫아요. 그 안엔 오고 싶어도 못 오는 거 아시죠?"

나는 할아버지 안색을 살피지 않으려고 고개를 베란다 창밖으로 돌렸다.

"잘 안다. 네 한 몸 책임지는 것도 쉽지 않을 게다."

이상하게 할아버지 말을 듣는 동안 내 궁핍한 마음에 훈훈한 기운이 채워지는 것을 어렴풋이 느꼈다.

할아버지는 책임의 의미를 누구보다 잘 알았다. 타고난 자립심은 노인이 되어서까지 이어졌다. 아버지에게 물려줄 것도 없으니 바라는 것 또한 없노라 했다. 성실하고 단호했으며 친절했다. 할아버지의 그런 점 때문에 어려서부터 위로나 조언을 들을 일이 있으면 아버지가 아닌 할아버지에게 말하는 것이 편했다. 노인이 됐다고 인생을 함부로 허비하는 것이 싫어 깡마른 팔로 아직도 게이트볼장을 다니고 몸과 정신 건강을 유지하려 애썼다. 할머니를 만난 것도 자립에 대한 한 가지 방편으로 보였다. 쓸쓸한 것을 무심한 척 넘기는 것도 자립심에서 온 것이라고 나는 이해했다.

"저는 이만 일어나 볼게요."

나는 두 사람에게 인사를 하고 진심으로 안녕을 전하며 할머니에게 봉투를 내밀었다.

지난 삼 년은 내게 힘겹고 바쁜 시간이었다. 아버지가 파산하여 도망자 신세를 겪으며 피폐해져 가는 일련의 과정들을 바라보던 시기였다. 그때 할머니가 차려 준 한 끼 밥 덕분에 한동안 따뜻할 수 있었다.

할아버지와의 혼배성사를 받던 날, 반지를 낀 할머니의 굵은 손마디가 떠올랐다. 전례 도중에 관절에서 소리가 나자 평생 식당을 하느라 연골이 닳아서 그렇다며 수줍게 웃던 할머니가 오래 기억에 남을 것이다. 일어서려는데 할머니가 망설이다 편지 봉투를 내밀었다. 편지 봉투에는 하와이에서 이보희에게 보낸 것이라고 적혀 있었다. 편지지 반을 채운 조밀한 글을 읽어 나갔다. 어머니로 시작된 것으로 보아 할머니의 며느리가 보낸 듯했다. 제 노력으로는 역부족이니 아범을 어머님께 보낸다는 글이었다. 죄송하다는 말을 세 번이나 반복하고 있었다. 편지를 읽는 짧은 동안 할머니는 눈물을 훔쳤다.

"할아버지한테는 그래도 가족이 있지만 그놈은 천지에 나 하나야."

편지를 건네받는 할머니는 울고 있었다.

"미안하게 생각하지 마세요. 할머니가 여기에 남으셔야 할 의무나 책임은 없어요."

할머니가 내 앞에서 눈물을 보인 것은 오늘이 처음이었다. 할머니 아들 부부도 한때는 사랑했을 테고 내 것으로 만들고 싶었을 것이고, 서로에게 간절하고 유일한 관계이기를 바랐을 것이다.

할머니는 처가를 따라 하와이로 이민 간 외아들이 무슨 연유로 알코올 중독자가 되어 돌아온 것인지 모른다고 했다. 할머니께 연락도 없이 돌아와 고향 근처에 원룸을 얻었다는 것이다. 술 먹고 시비가 붙어 싸움을 하고 끌려간 경찰서에서 기물 파손 현행범으로 공주 감호소로 보내졌고 그 과정에서 경찰서에서 할머니에게 연락을 해 왔다는 거였다.

"가엾어 죽겠어."

울고 있는 할머니 뒤에 혼배성사 때 찍은 사진이 벽면을 채우고 있었다. 성지순례 다녀온 사진은 아직 색도 바래지 않았는데 이별을 할 수밖에 없다니, 이별의 절차는 다 끝난 듯했다. 내게도 또 한 번의 이별에 아픈 더께가 쌓였다.

할아버지는 두 사람의 혼배성사 때도 나를 불러 증인을 세운 것처럼 이별식 때도 나를 불렀다. 할아버지는 슬프지도 기쁘지도 않은 얼굴로 나와 할머니의 손을 이어 잡았다. 나는 잡은 손에 힘을 주었다. 머지않아 나는 할아버지나 할머니의 이별식을 다시 떠올리게 될 것이다.

창밖은 아직 환했다. 자리에서 일어나려는데 휴대전화가 또 울렸다. 근태였다. 그때서야 근태와의 약속 시간이 지났다는 것을 생각해 냈다. 나는 울리는 휴대전화를 가방에 넣고 현관을 나왔다. 복도를 걷는 동안 바람이 불어 머리칼이 흔들렸다. 바람은 불고 싶은 데로 불고 있었다.

키사텐의 모닝 세트

키사텐 실내는 폐광을 리모델링한 듯 음습했다. 나는 길을 잘못 들어선 것처럼 선뜻 발을 떼지 못하고 조도에 익숙해질 때까지 숨을 고르며 서 있었다. 동네 골목마다 생기는 작은 카페 정도로 예상했는데 생각보다 실내는 넓었다. 땀을 흘린 탓에 에어컨 냉기가 몸에 달라붙자 싸했다. 벽과 바닥이 타일인데도 이상하게 흙냄새가 났다. 흙냄새가 편안하게 느껴졌다. 나는 천천히 키사텐 깊숙이 걸어 들어갔다. 이런 지하까지 누가 찾아올까 싶어 실내를 두리번거렸다.

붉은 테이블보가 깔린 식탁 이곳저곳에는 많은 손님들이 자리를 차지하고 있었다. 여행자들은 제 몸만 한 배낭을 옆자리에 앉히고 왁자글했다. 큰 배낭은 얼핏 그들의 동행자처럼 보였다. 그들은 천정에서 테이블 위까지 내려온 노란 알전구를 향해 담배 연기를 뿜어 올렸다. 불빛 주변에 노랗게 떠도는 연기가 여행자의 피곤한 숨결처럼 느껴졌다. 이상하게도 그 연기를 보자 안심이 되었다.

계산대 앞에 서 있는 사람이 언니인 듯, 아닌 듯 헷갈렸다. 아버지 장례식 이후 오 년만의 대면이었다. 그때 언니는 키사텐을 시작한 뒤로 하루도 문을 닫을 수 없었다고 했다. 평범해 보이는 이곳이 하루도 문 닫는 일이 불가능하다니, 언니를 꽉 잡아놓은 키사텐이 어떤 곳인지 갑자기 궁금했다.

"네가 오지 않으면 우리는 만날 수 없게 될 거야."

농담을 할 줄 모르는 언니인 줄 알면서도 나는 그동안 비행기에 몸을 싣지 못했다.

흐린 조명 탓인지, 화장기 없는 탓인지 언니는 내가 생각했던 것보다 나이가 들어보였다.

"왔구나. 진짜 와 줬구나."

언니의 단발 생머리에는 새치가 눈에 많이 띄었다. 환하게 웃는 언니의 모습 어디에도 일본으로 떠나기 전 무뚝뚝하고 사무적이던 모습은 찾아볼 수 없었다.

출입구 앞에 떠다니던 흙냄새와 달리 계산대로 가까이 갈수록 짐작하기 어려운 향이 코를 찔렀다. 지하 특유의 퀴퀴한 냄새를 없애기 위해 뿌린 인공방향제의 향인 듯 했다. 언니가 서 있는 뒤쪽 벽에 걸린 그림에 눈이 갔다. 길게 난 숲길을 걷는 여자의 뒷모습이었다.

"언니가 그린 거야?"

"아니, 료스케 그림이야."

언니가 이곳으로 올 때는 만화를 그리고 싶어 했었다. 그때와는 다른 곳을 향해 선 언니는 이제 그림이 아니어도 충분히 행복해 보였다.

언니가 주방으로 돌아간 뒤 나는 카운터 데스크 귀퉁이에 꽂혀 있는 오사카 여행 브로슈어를 의미 없이 뒤적거렸다. 지도 속 간사이공항은 바다에 표류하는 커다란 배처럼 표시돼 있었다. 빼곡하게 들어찬 여행지의 미로 같은 노선표를 손가락으로 짚어 나갔다.

서울에서 간사이공항까지 1시간 50분이면 도착이었다. 내가 살고 있는 도시에서 인근 도시까지도 차로 그만큼의 시간이 걸린다. 그런데 언니가 있는 이곳을 지금껏 오지 못했다.

주방에서 나온 언니는 만화를 그리다 만났다는 료스케와 함께였다.

"베그 싶으다."

"아니고, 보고 싶었다."

"보그 싶으다."

"표정이 바보 같지 않니!"

언니의 무구한 미소가 일본인 형부와의 애정을 말해 주고 있었다. 그 뒤로도 언니가 여러 번 지적해도 료스케는 "베그 싶으다."라고 했다. 언니는 매번 료스케의 발음을 교정해 줬지만 나에게 료스케의 발음은 중요치 않았다. 다정한 몸짓과 순하게 웃는 모습에서 언어 이상의 것이 전달되었다.

"뭘 베겠다고 자꾸 베그 싶으데."

두 사람은 악의 없이 서로에게 눈을 흘기고 희미한 불빛 아래서 료스케가 짓는 우스꽝스러운 표정과 몸짓에 언니는 키득거렸다. 나는 웃자란 채소같이 껑충하게 서서 쳐다볼 뿐 그들과 섞이지 못했다. 그들의 무구한 웃음소리가 동굴같이 음습한 키사텐에 퍼졌다. 손님 중 누군가 나오미라고 불렀는데 언니가 환한 웃음과 함께 손을 들어 보였다. 내가 한 번도 들어보지 못한 이름이 언니의 이름인지 의문이 갔다.

"지수야, 나는 일본 이름 나오미라고 불리는 지금이 편해."

언니는 내가 알던 지혜라는 이름을 가진 사람이 아닌, 다시 알아 가야 할 다른 사람처럼 보였다.

"하루도 키사텐 문을 닫을 수 없었어."

"키사텐, 키사텐이 뭐라고 하루도 문 닫을 수 없었다는 거야? 언니가 못 오니 결국 내가 올 수 밖에 없잖아."

떠나지 못했던 나를 강박적으로 변명이라도 하듯 나는 이곳까지 온 것은 순전히 언니의 억지 때문이었다고 밀어붙이고 있었다.

"매일 찾아오는 단골손님이 많거든. 단출한 식사와 차를 파는데 주로 노인들이 와. 여행자도 많고. 세월이 이렇게 빨리 지난 줄도 모를 만큼 바빴어."

언니는 산업디자인을 전공했지만 만화를 공부하겠다고 일본으로 갔었다. 나는 언니가 일본 유학 시절 아르바이트로 했던 만화 그리기를 다시 공부해 보겠다고 일본으로 되돌아간 것은 단지 현실에서 탈출하기 위한 모색이라고 생각했었다.

언니는 형부의 죽음 이후 두문불출했다. 마치 텔레비전 정지 화면 속 여자처럼 변해 갔다. 그러다 형부의 첫 기일을 지내고 언니가 택한 것이 만화 그리기라고 해 가까운 사람들을 놀라게 했다. 나는 일본행이란 언니의 결정에 "그렇구나." 정도의 반응만 보였다. 만화 같은 구석이라고는 찾기 어려운, 늘 진지한 언니가 만화를 그리러 가겠다는 것이 이해되지 않아서만은 아니었다. 그 무렵 나는 대학 졸업반이었고 지금의 남편에게 빠져 있었다. 나는 내 자신과 결탁해 그가 아니면 죽을 것이라고 스스로를 협박했다. 인생의 처음이자 마지막 남자라고 단번에 결론짓고 그 외의 모든 것에 눈감고 귀를 닫았다. 그 남자만 보였다. 언니는 나에게 이성적인 것이 지나쳐 냉정해 보인다는 둥 욕망이 크면 가정보다 일이 우선인데 그렇게 보인다는 둥 그이에 대해 말하곤 했다. 언니의 말은 우리를 훼방하기 위한 것이라는 의구심을 갖게 했다. 언니가 일본으로 공부하러 간다는 아쉬움과 서운함을 느낄 여유도 없이 언니에게 반

감만 갖던 시기였다. 아쉽게도 내 세계에 갇혀 언니의 고통이 보이지 않았다.

"배고프겠다. 많이 먹어."

"마니 머그."

언니는 레아 치즈케이크와 뜨거운 커피를 테이블에 내려놓았다.

"어서 먹어."

"머그."

료스케는 앵무새처럼 언니가 하는 말을 반복해 따라하며 반달 같은 눈으로 웃었다. 입꼬리가 올라간 것도 일본 만화『낚시광 일지』주인공 같아 웃음이 나왔다.

"먼저 들어가 쉬고 있어도 좋고, 일찍 문 닫을까?"

"그럴 것까지야, 기다렸다 같이 들어갈게."

언니는 일찍 문 닫을 수도 있다고 했지만 나는 그렇게까지 하고 싶지 않았다. 영업이 끝날 때까지 이곳에서 기다릴 것인가를 고민하는데 한 무리의 청년들이 캐리어를 밀고 들어왔다. 그들은 늘 오던 곳을 다시 찾아 온 것처럼 편안해 보였다. 어떤 이는 테이블에 앉기도 전에 언니를 발견하고 덥석 포옹부터 했다. 그들이 포옹하는 모습은 손님과 주인의 모습이 아니었다. 기다려 주는 사람 곁으로 돌아왔다는 안도감이 그들에게 보였다. 언니는 그들과 어깨를 으쓱거리며 몇 번 더 포옹을 한 뒤 주문을 받아 주방으로 돌아갔다.

그들을 지켜보는 동안 정체 모를 쓸쓸함이 밀려왔다. 나는 옆 테이블에 놓인 점을 볼 수 있는 통을 가져왔다. 별자리로 점괘를 보는 것인데 동전을 넣으면 점괘가 나온다고 했다. 통을 만지작거리는데 내가 앉은 테이블을 지나가던 언니가 100엔짜리 동전을 테이블 위에 올려놓고 종종걸음으로 사라졌다. 나는 꽤 진지하게 동전을 밀어 넣었다. 점괘가 적힌 돌돌 말린 종이가 톡 튀어 나왔다. 종이를 펼치니 점괘가 적혀 있었다. 일본어를 모르는 나는 눈으로 죽 훑다가 테이블로 돌아온 언니에게 내밀었다.

"요이코토, 너 좋은 일 있을 건가봐."

"무슨……."

나는 긍정도 부정도 하지 않은 채 말끝을 흐렸다. 나보다 언니가 한층 흥분돼 보였다. 이제 와 내게 좋은 일이란 무얼까. 예전 같으면 임신을 떠올렸을 것이다.

아기 갖기를 간절히 소망할 때가 있었다. 결혼 삼 년 차가 되어갈 때부터였을 것이다. 남들에게는 자연스러운 임신이 내게는 간절한 소망이 돼 있었다. 평범한 일상의 대부분을 포기하고 긴 시간을 임신에 매달렸다. 배란 장애 난임 환자, 의사가 내놓은 낯설고 생소한 소견에 나는 그저 노력하여 극복 할 거라고 생각했다. 난포 수를 늘리기 위해 일주일 동안 내 손으로 배에 주사를 꽂았다. 임신과 계류유산이 반복되었다. 계류유산 후 반년 동안은 몸을 추스르고 또 시술, 기대와 좌절이 거듭된 기간이었다.

"아이 없어도 괜찮잖아?"

남편은 나를 위한 것이라 했지만 내가 원하는 것이 무엇인지 알고 싶지 않아 보였다. 신기했다. 남편은 단지 아이를 갖기 위해 섹스를 했던 것처럼 아이 갖는 일에서 손을 떼자 내 몸에 손을 대지 않았다. 단정한 말투는 여전했지만 다정함을 느낄 수는 없었다. 나는 남편을 향한 젖은 마음을 들키지 않기 위해 관목에 열심히 물을 주며 불만이 없는 척했다. 나는 희미하게 말라갔다.

언니가 자리를 떠난 뒤로도 '요이코토'라는 말을 입안에서 되뇌었지만 역시 낯설었다. 단지 이국의 언어라서만은 아니었다. 어느 순간부터 '요이코토'가 나와는 아무 상관없는 말처럼 느껴졌기 때문이었다.

키사텐에는 여행자들이 많이 들락거렸다. 서양인 노부부도 몸피에 비해 큰 배낭을 짊어지고 들어와 내 옆 테이블에 앉아 커피를 주문했다. 커피를 앞에 놓고 지칠 줄 모르고 말을 이었다. 그럴 때마다 목둘레의 핏대가 새파랗게 돋아났다. 커피를 시키면 덤으로 나오는 히카리 카스텔라를 서로에게 건네기도 했다. 저 나이까지 함께 먹고, 자고, 걸었을 텐데 여전히 끊임 없이 대화를 나누는 다정한 모습이 생경하게 느껴졌다.

간혹 흰 가운을 입은 료스케가 주방에서 얼굴을 내밀고 주문지에 대한 질문을 했다. 그는 장난기 섞인 표정을 짓다 다시 고개를 넣었다. 희미한 실내등 아래 새까만 긴 원피스를 입고 잰걸음으로 다니는 언니가 마치 댄서처럼 보였다. 언니는 주문한 음식을 갖다 주며 일본 사람들이 그러듯이 고개를 조아렸다. 언니를 지켜보는 시간이 길어질수록 오래전에 내가 알던 사람과 다른 낯선 사람으로 보였다. 절망이나 좌절의 그늘진 기억 따위는 없는 사람처럼 평온해 보였다.

"가까운 곳에 강이 있는데 야경이 좋아. 좀 일찍 문 닫고 뒤따라갈게."

심심할 텐데 산책이라도 하라며 건넨 료스케 휴대전화를 들고 키사텐을 나왔다.

도톤보리는 물의 도시답게 도시를 가로질러 강이 지나가고 있었다. 건물 꼭대기에 걸친 일몰은 아직 지치지 않고 붉었다. 거리는 열기와 떠다니는 물기로 덥고 무거웠다. 리버크루즈가 파랗게 뒤덮인 개구리밥을 헤치고 석양을 향해 움직였다. 얼마나 서 있었을까. 해가 기울고 어둠이 내리자 마침내 거리는 가로등 불빛으로, 인파와 강물로 출렁였다. 나는 다리에 서서

타코야키를 사 천천히 씹었다. 비리고 밍밍했다.

내가 아는 언니의 첫 결혼 생활도 밋밋했다. 언니는 산업디자인을 전공했고 나름 잘나가는 회사에 취직도 했었다. 언니의 야무진 성격대로 재력과 능력을 겸비한 남자를 잘 만났다는 칭찬을 들으며 결혼을 했다. 잠깐은 평화로운 듯 보였다.

결혼 초부터 주말부부로 지내던 형부는 지방에 본사가 있는 대기업의 회계 업무를 맡은 유능한 사원이었다. 기업의 자산과 연결회계에 대한 업무 전반에 걸쳐 인정받는다고 했다. 형부는 주말도 반납하고 회사에 매달렸다. 바빠서 못 오는 주말이 많았다. 완벽한 성품대로 외부감사나 내부감사에도 별 탈 없어 보이던 형부였다. 그런 형부가 왜 스스로 목숨을 버렸는지 누구도 납득하기 힘들었다. 언니는 형부에 대해서 아는 것이 아무것도 없다고 했다. 결혼 삼 년 만에 주검으로 돌아온 형부 앞에서 언니는 뒹구는 휴지 조각처럼 널브러져 있을 뿐이었다.

"지수야, 하필 왜 나한테 이런 일이 일어났을까? 모를 일이야. 정말 아무것도 아는 것이 없어. 나는 그 사람에 대해 어디까지 안다고 말할 수 있을까……."

얼마나 삶이 고단하고 무의미 했으면 이런 허망한 결론을 내렸겠느냐 언니는 자조했다.

밤이 깊었는데 거리는 대낮처럼 환했다. 강물은 가게마다 매달린 네온사인 불빛 때문에 색색의 셀로판지를 깔아 놓은 듯 아롱거렸다. 지하철에서 내려 키사텐을 향해 걸을 때만해도 한산했던 거리였는데 점점 사람들로 붐볐다. 사람들이 낮의 열기를 피해 어디론가 숨어들었다가 어두워지면서 강가로 꾸역꾸역 모여드는 듯 했다. 저 많은 사람들은 어디서 온 것일까, 돌아갈 곳은 있는 것일까, 불현듯 초조해 눈을 감았다.

남편과 한강을 거닐 때도 지금처럼 정체 모를 초조함이 있었다. 외국에서 온 바이어 부부 접대가 있는 날이었다.

"당신이 동행해 줘야겠어. 선물도 골라 주고."

한강이 내려다보이는 호텔에서 식사를 하고 백화점을 돌아 강변에 도착했을 때 태양은 열기를 몰고 서쪽으로 기울고 있었다. 서늘한 강바람도, 남편과 함께 걷는 것도 설렜다. 나는 얼떨결에 남편의 손끝을 잡았다. 그리고 웃었다. 남편은 바이어를 대하듯 웃어 보이고 잡힌 손을 슬며시 뺐다. 아직 처리하지 못한 일이 남았다고 했다. 그때 나는 불쑥 보이지 않는 곳으로 숨고 싶다는 생각을 했다. 그 자리를 뜨자는 남편의 재촉을 들으며 한강에 비친 내 모습을 보았다. 출렁이는 물살 위로 커다란 얼룩 하나가 허우적거리고 있었다.

"언니 집에? 어디든, 얼마든지 다녀와."

남편은 어디든, 얼마든지 가도 좋다고 했다. 내가 떠나서 돌아오지 않아도 상관없을 사람처럼 보였다. 어쩌면 남편이 그걸 바라는지도 모른다는 생각에 꿈에서도 망설였다. 내게 망설임의 원초는 남편인 셈이었다.

임신에 매달린 오 년 동안은 어떤 일도 내게 차선으로 밀려났다. 그 뒤 어쩔 수 없이 임신을 포기한 뒤로 남편과 나는 서로에게 의무를 다하려고 애썼다. 남편은 생활비를 갖다 주는 일에, 나는 음식을 만드는 일에 열중했다. 누가 봐도 표면적으로는 평화로운 부부로 보였을 것이다. 남편이 나를 안지 않는 것 외에 모든 일은 완벽에 가까웠다. 그는 친정아버지 병원비와 장례비를 책임졌고, 내 건강검진까지 챙겼다.

"우리가 어때서? 무슨 문제 있어?"

남들 부부처럼 살고 싶다는 내 말에 남편의 대답은 명료했다.

강물에는 여전히 불빛이 너울댔다. 나는 강을 따라 걸었다. 불빛이 닿지 않는 강 하류의 검은 너울은 좀 전과는 다르게 섬뜩했다. 얼마쯤 더 걸었을까, 다리가 뻐근해졌다. 상점이 줄지어 서 있는 강변을 눈으로 훑었다. 텔레비전 화면에서 본 베니스의 어느 골목 같았다. 빨간 차양 아래 장미와 백합, 백일홍과 메리골드와 이름 모를 꽃들이 커다란 양동이에 담겨 졸린 듯 고개를 꺾고 있었다. 모닝 세트가 그려진 키사텐, 우동집과 100엔 숍, 화장품 가게와 작은 선착장까지, 하루를 마감하기 위해 술렁이듯 보였다. 가라오케와 운동복을 파는 스포츠용품점도 네온사인으로 환했다. 성인용품 판매점과 주점, 해산물과 회전 초밥 전문점, 잡다한 물건을 파는 거대한 잡화점과 관람차가 그 시간까지 행인을 기다렸다.

'이제야 이런 것들이 눈에 들어오다니.'

바람도 불지 않는 밤에 눈이 아파 왔다.

료스케의 휴대전화에서 알 수 없는 일본 유행가가 울렸다. 언니였다.

"너한테 가려고, 어디쯤 있어?"

"어디쯤일까. 아무튼 멋진 곳에 와 있어."

언니는 어설픈 설명에도 나를 빨리 찾아냈다. 료스케는 내 캐리어를 끌고 싱글거리며 나타났다. 앞서 걷던 언니는 어느 여성복 가게 앞에 진열된 검은 원피스를 바라보고 서 있었다. 나는 언니를 가게로 밀고 들어가 신용카드를 꺼냈다. 화장기 없는 언니가 실내등 아래 수줍게 웃었다. 언니를 위해 핑크색 카디건과 검은 원피스, 영양 크림을 샀다. 통장에는 여행하는 동안 걱정하지 않을 만큼 돈이 충분했다. 나는 불빛 아래에서 쇼핑백 안의 물건들을 다시 끄집어내 살피며 좋아하는 언니가 안쓰러워 눈을 돌렸다.

언니는 강변을 배경으로 서 있는 나를 휴대폰으로 찍기 시작했다.

"웃어. 더 웃어 봐."

나는 입꼬리를 귀 쪽으로 열심히 끌어올렸지만 소용없는 일이었다. 료스케는 카메라 앞에서 쑥스러워 하는 나를 향해 엄지손가락을 척 들어 보였다.

"자연스럽게 잘 웃어봐."

언니는 계속 잘 웃어 보라고 했지만 나는 결국 어설픈 웃음을 거두고 손사래를 치며 앞서 걸었다.

가면 가게 앞에서 료스케는 호빵맨 가면을 쓰고 노래를 불렀다.

'호빵맨이 일본 만화였나.'

나도 한두 번 들어본 적이 있는 멜로디였다. 언니와 료스케는 가면에 빠져 그곳을 떠나려 하지 않았다.

"료스케가 가면 모으는 취미가 있거든."

료스케에게 가면을 사 주고 싶었다. 료스케는 이름 모를 무서운 가면을 골랐다. 거리는 불빛으로 출렁였고 아직 많은 인파가 거리를 오갔다. 쉬고 싶다는 생각이 불현듯 들었다. 오랜 기간 앓던 몸처럼 단번에 주저앉을 듯 나른해졌다. 내 표정이 심상치 않아 보였는지 언니가 잰걸음으로 앞서 걸어가 택시를 잡았다.

언니 집으로 가는 길은 꽤 멀고 지루했다. 차창으로 불빛이 스며들 때마다 감긴 눈자위로 빛이 어른거렸다. 언니는 뒷좌석에서 료스케와 앉아 간간히 파하 웃음소리를 냈다. 언니의 웃음소리가 먼 곳에서 들려오는 듯 아득했다. 가수면 상태가 이어지는 동안 수많은 생각이 꼬리를 물었다.

'지금쯤 남편은 밥을 어떻게 하고 있는지. 찻잔을 미리 데워 차를 담아야 하는데, 45도 목욕물에 입욕 15분을 알리는 알람은 어떻게 하고 있을까?'

나는 깜짝 놀라 고개를 저었다. 이런 생각의 끝은 어김없이 불쾌한 자괴감으로 이어졌다. 어깨를 다독이는 손길에 눈을 떴다. 언니였다.

"많이 피곤하지?"

"자꾸 졸음이 와."

택시를 얼마나 탔을까, 키사텐에서 멀리 온 듯했다. 택시 기사는 트렁크에서 캐리어를 꺼내 주고 언니와 인사를 나누고 떠났다.

"지수야, 즐거운 여행 되라는 구나."

낯설게 들리는 '타노시이 료코오'란 말을 나는 입안에서 낮게 읊조렸다.

택시가 사라진 뒤 골목은 다시 고요해졌다. 골목으로 들어서니 2층으로 된 작은 집들이 열을 맞춰 서 있고 대문 안에는 자동차가 문패처럼 세워져 있었다. 주택 단지를 지나자 아파트가 나타났다. 아파트는 5층짜리 건물이었다.

"왜 집 앞까지 택시로 들어가지 않아?"

언니의 귀에 대고 속삭였다.

"료스케의 습관이야. 잠깐 걸으면 되는 거리기도 하고 골목 안에 차 다니는 것을 싫어해."

어린이 놀이터와 작은 공원이 있는 깨끗한 단지였다. 언니는 아파트에서 가까운 곳에 강이 있는 예쁜 마을이라고 자랑했다. 료스케는 한 손에는 쇼핑한 비닐봉투를 들고, 다른 한 손으로는 캐리어를 끌며 앞서갔다. 어둠속에서 세 사람의 흔적을 알리는 듯 바퀴 굴러가는 소리가 요란하게 따라왔다.

승강기가 없는 아파트여서 료스케가 캐리어를 들고 한 계단 한 계단 올라 3층 현관 앞에 섰다. 언니는 료스케의 팔을 안마하고, 료스케는 현관 열쇠를 찾는지 호주머니를 뒤졌다. 나는 뻐근한 고개를 시계방향으로 돌리며 현관이 열리기를 기다렸다.

세 개의 방과 거실과 주방, 언니의 집은 낡은 외관과는 달리 깨끗하게 정돈돼 넓어 보였다. 언니는 부엌으로 가 가스 불을 켰다. 잠시 후 어묵탕 냄새가 집안에 퍼졌다. 제일 큰 방에는 책상 가득 그림이 있었다. 책꽂이에는 대부분 만화책이 꽂혀 있었다. 『치비마르코짱』 시리즈 같은 눈에 익은 것도 있었다. 대상의 성격을 과장하고 내용의 일부를 생략하면서 주제를 간명하게 드러내는 것이 만화라 했다. 언니는 자신의 어떤 부분을 생략하고 축약해 보이고 싶었을까. 지난 삶과 극명하게 달라진 지금은 또 어떻게 보이고 싶은 것일까.

료스케가 수집한다는 가면이 벽 한 면에 가득했다. 이상한 형태의 가면들이었다. 두터운 화장으로 실체를 가린 게이샤 가면, 얼굴 전체가 빨간색인데 검은 수염이 더듬이처럼 길게 뻗은 가면, 후덕한 일본 여성의 얼굴 같은 가면과 고양이나 호랑이 같은 동물 가면도 많았다. 언니는 가끔 가면을 소재로 만화 주인공을 응용해 그린다고 했다. 어느새 료스케가 가면을 쓰고 내 앞에 나타났다. 입이 가로로 죽 벌어진 우스꽝스러운 가면이었다.

"료스케와 닮아 보이지 않니?"

나는 고개를 주억거렸다. 언니는 뜻밖에도 마릴린 먼로 가면을 썼다. 노랑머리를 양 갈래로 묶고 눈이 동그란 가면이었다. 지금의 언니와 잘 어울렸다.

"너와 닮은 건 어떤 걸까?"

가면을 둘러보았다. 두꺼운 화장을 한 게이샤 가면이 왠지 나와 닮아 보였다. 가면을 쓴 듯 속내를 감춘 남편을 언제부터인지 나 역시 진한 화장으로 속을 가린 게이샤처럼 마주했다.

남편의 가면을 찾는다면 어떤 것이 어울릴 것인가를 생각하며 다시 둘러보았다. 남편을 닮은 가면은 찾기 어려웠다.

흰 벽에는 청색 테두리의 결혼사진이 걸려 있었다. 심플한 에이라인의 흰 드레스가 언니에게 잘 어울렸다.

"아버지가 앓고 있어 연락하지 못했어."

한참 결혼사진을 들여다보는 나를 향해 언니는 혼잣말처럼 읊조렸다.

아버지의 장례식장에서 희미하게 웃던 언니처럼 사진 속에서도 언니는 희미하게 웃고 있었다.

료스케는 내가 알아듣지 못해도 상관하지 않고 가면에 대해 설명했고, 언니는 부엌에서 밥상을 차렸다.

"네가 온다고 해서 미리 끓여 놨어. 오뎅탕은 하루 전에 끓여 놔야 불어서 맛있거든. 우리는 늘 간단히 먹는데, 네가 괜찮을지 모르겠다."

언니는 겸연쩍게 웃었다. 언니가 차린 식탁은 단출했다. 그래도 오 년 만에 만난 동생과의 해후에서 어묵탕 하나를 내놓다니, 일본 문화가 이런 것인가 싶어 나는 잠시 서운한 마음을 감추지 못했다.

남편 앞에 내가 매일 차리는 식탁을 떠올렸다. 남편은 허접한 상차림을 참지 못했다. 고기와 생선을 기본으로 십여 가지 반찬과 국이나 찌개가 있어야 했다. 우리는 언제부터인지 서로를 자극하지 않으려 최선을 다했다. 서로에게 신경 쓰며 대부분 아무 문제없이 지냈다. 잘 차려입고 많은 모임에 참석했으며 돌아와 차를 마시고 각자 잠자리에 들었다.

그날도 저녁 식사를 마치고 차를 들고 소파로 옮겨 앉은 직후였다. 늘 같은 자리에서 같은 각도로 앉아 습관처럼 틀어 놓는 텔레비전 소리가 아니라면 집 안은 깊은 바다에 잠긴 듯 적요했을 것이다. 남편과 내가 소파 끝과 끝에 시소 타듯 앉아 무념하게 텔레비전을 바라보고 있을 때였다.

"마음이 도저히 움직이질 않아. 노력을 해도 역시 그래. 그래도 우리 잘 살고 있잖아."

"나 좀 안아줘요."

얼마 전 건넨 내 말에 대한 남편의 답인 듯했다. 긴 침묵을 깨고 너무도 담담하게 말하는 남편을 바라보기가 겁이 났다. 잘 사는 것이 무엇인지 되묻고 싶었지만 입을 다물었다. 남편의 무뎌진 눈길을 피하며 그의 무관심을 묵인하려 애썼다. 꽤 긴 시간 뒤에 언제부턴지 남편과 크게 다르지 않은 내 속내를 들킬까 염려했다. 나는 얼른 소파 위에 떨어진 티끌을 집어낸다는 핑계로 고개를 숙여 남편의 시선을 피했다.

갑자기 우리에게 아기가 있다면 어땠을까, 하고 싶지 않은 가정이 떠올랐다. 시멘트처럼 굳어 가는 완고한 남편의 얼굴을 보는 것만으로도 갑갑해졌다. 그러고 며칠 뒤 언니를 보기 위해 비행기 티켓을 예매했다.

언니와 료스케는 시시한 농담을 주고받으며 가운데에 놓인 어묵탕을 비둘기처럼 쪼아 먹었다. 나는 두 사람이 까르르 웃는 모습이 우스워 따라 웃었다.

"나도 오뎅탕 좋아해."

나는 왠지 언니가 말하는 '오뎅'이라는 어감이 내가 알고 있는 맛과 닮은 듯 생각돼 그렇게 말했다. 언니는 어묵탕 한 그릇을 내 앞으로 밀었다. 퉁퉁 불어 있었다.

"잘됐다. 좋아한다니 많이 먹어."

"마니 먹으라."

료스케가 하는 말과 특유의 몸짓이 우스워 우리는 또 웃었다. 예전에 언니는 나와 한 찌개에 숟가락을 담그고 식사를 했다. 지금은 일본인처럼 정갈하게 앞 접시에 덜어 먹고 있었다. 식사를 끝내자 시계는 자정을 가리켰다. 방바닥은 다다미가 푹신하게 깔려 있었다. 다다미 위에 한국 드라마 CD가 수북했다. 잠들 때까지 언니는 한국 드라마를 보고 료스케는 언니 다리를 주무른다고 했다.

"괜찮은 거지?"

언니가 이부자리를 살펴주고 나가면서 물었다. 언니한테 뭔가 들켜 버린 것 같았다.

"응!"

생각보다 큰 내 대답에 놀라 "잘래."하고 이불을 뒤집어써 버렸다. 설핏 잠결 사이로 료스케와 언니의 웃음소리가 벽을 통해 들렸다. 고단해서 금방 잠들 줄 알았는데 몸만 나른할 뿐 잠은 멀리 달아나고 의식은 점차 또렷해졌다. 별에 달궈진 모래

밭에 누운 듯 몸을 뒤척였다. 그렇게 긴 시간을 보냈지만 시계는 아직도 새벽 4시를 가리켰다. 문득 어젯밤에 본 게이샤 가면을 써 보고 싶었다. 나는 조용히 일어나 가면이 있는 방으로 갔다. 불을 켜자 벽에 걸린 가면들이 일제히 나를 쏘아보는 듯했다. 나는 방안에 있는 가면들을 하나하나 천천히 바라보다 마침내 게이샤 가면에 눈길을 주었다. 흰 바탕 얼굴에 웃고 있는 반달눈, 붉은 입술, 그 사이로 이가 검게 칠해져 있었다. 흰 피부나 입술, 반달눈은 내가 알고 있는 게이샤의 모습이었지만 검은 이는 낯설었다. 처음엔 일부러 이 가면만 그렇게 만든 줄 알았는데 원래 게이샤의 전통 화장법은 이를 검게 칠하는 것이라고 했다. 료스케의 말을 내가 알아듣지 못하자 언니가 전해 준 말이었다.

"왜?"

"게이샤는 입이 무거워야 하거든. 연회든 밀실이든 그곳에서 일어난 일을 절대 입 밖에 꺼내지 않겠다는 뜻이래."

내 물음에 언니는 로스케에게 설명들은 대로 말했다. 그렇게 이를 검게 칠하는 의식을 '오하구로' 라고 했던 언니의 설명을 들었지만 검은 이의 게이샤 가면이 익숙하지 않았다. 그래도 나는 걸려 있던 게이샤 가면을 꺼냈다. 생각보다 가벼웠다. 머리 뒤로 끈을 묶어 가면을 썼다.

거울 속에는 갸름한, 그러나 검은 이를 가진 게이샤가 보였다. 가면 속에서 내 얼굴은 겨우 검은 눈동자만 보일 뿐이었다. 그런데도 두터운 화장을 한 것이 본래의 내 모습인지, 화장기 없는 모습이 본래의 내 모습인지, 가면을 쓴 내가 나인지, 가면 뒤 내가 나인지 헷갈려 도무지 알 수가 없었다. 나는 가면을 쓰다듬었다. 두 시간도 안 걸리는, 그러나 한 번도 와 본 적이 없는 낯선 나라의 작은 아파트, 그리고 가면으로 둘러싸인 방으로 오는데 너무 오래 걸렸다는 생각이 들었다. 그 무덤덤한 관계에서 벗어나는데 걸린 시간이었다. 가면을 쓰고 살면서도 가면을 쓰고 산지도 몰랐다. 갑갑한지도 모르고, 보이지도 않는 웃음을 짓고 살았다. 검은 이처럼 안으로 꼭꼭 감추고만 산 시간이었다. 그 생각을 하자 무릎이 꺾였다. 가면을 쓰고 나서야 민얼굴을 볼 수 있게 된 셈이었다. 명치가 싸해졌다. 두 손으로 가면을 감싸 쥐었다. 나도 모르게 울음이 터졌다. 언니가 놀라 달려왔다.

"왜 그래? 무슨 일이야? 왜 이 시간에 가면을 쓰고……. 내가 벗겨 줄게."

나는 언니의 손을 밀어냈다.

"언니, 내가 벗을게. 내가 직접."

나는 단호하게 말했다.

나는 마치 의식이라도 치르는 것처럼 머리 뒤쪽의 매듭을 풀고 이마에서부터 아주 천천히 가면을 벗기 시작했다. 가면은 완전히 얼굴에서 분리되어 떨어졌다. 옥죄어 있던 어떤 것이 떨어져 나가는 것처럼 시원해졌다. 눈물로 얼룩져 드러난 내 얼굴이 익숙한 듯 낯설었다. 나는 손등으로 눈물을 닦고 언니를 보며 웃었다. 중요한 의식을 마친 뒤처럼 이상하게 홀가분해졌다. 나는 문득 내 얼굴을 보며 낮에 언니가 했던 말이 떠올랐다.

'요이코토'

나는 한 번 더 입속에서 읊조렸다.

"가게 문 열기에는 이른 시각인데 강변이나 걷다 올까?"

발밑에 떨어진 가면을 주워 걸고 언니를 따라나섰다.

강가에는 푸른 안개가 피어올랐다. 우리는 그 속으로 빨려 들어가 한참을 걸었다. 흰 벽을 뚫고 튀어나오는 어느 광고 속 모습처럼 운동복 차림의 사람들이 안개를 통과해 불쑥 나타나는 바람에 놀라는 것도 즐거웠다.

철 든 이후 언니와 함께 눈을 맞추고 즐거워한 기억을 잠시 더듬어 보았다. 떠오르지 않았다. 언니와 나는 강으로 내려가 신을 벗고 걸었다. 햇살이 퍼지기 전인데도 전날의 온기가 아직 가시지 않아 발바닥이 따뜻했다. 뒤를 돌아보니 네 개의 발자국이 흉터처럼 남아 있었다. 새살이 돋아 흉터가 희미해지듯 어떤 이의 발자국이 포개지면 네 개의 발자국도 형체를 알 수 없게 될 것이다.

"새벽 산책 좋지?"

"기막히게 좋다."

"여기를 처음 와서 워킹푸어처럼 살면서 어디론가 숨고 싶을 때 안개 속을 걸었어. 안개가 걷히는 것을 보면서 희망을 떠올리기도 했어."

"빈손으로 무작정 떠난 언니를 그때는 이해할 수 없었어. 과한 방어로 보였거든."

"어그러진 과거로부터 깨끗하게 손 털고 자유로워지고 싶었어."

언니는 지나간 삶을 되짚어 보듯 눈을 깜빡였다. 나는 아직도 내 기억 장치 어디쯤 끼어있는 지나간 순간들을 털어버리듯 강변에 앉아 발가락 사이에 끼어 떨어지지 않는 모래 알갱이를 털어냈다.

떠오르는 아침의 태양은 운무를 먹어치울 만큼 강렬하게 내리쬐였다. 나는 삼일 예정으로 온 일정을 변경해 비행기 시간을 바꾸었다.

언니는 몇 번의 만류 끝에 맥 풀린 미소로 아쉬움을 대신했다. 료스케는 얼마간 세 식구로 지내는 것을 내심 기대했는데 아쉽다고 투정했다.

"베그 시프다."

"아니, 자꾸 뭘 벤다 그래."

"베그 시프다."

보고 싶다는 말보다 료스케의 "베그 시프다."가 훨씬 다정하게 들렸다.

"형부, 저도 보고 싶을 거예요."

언니가 형부라는 말의 의미를 알려주자 료스케의 입이 쫙 벌어졌다. 꽤 감동한 눈치였다. 어색해서 참았는데 진즉에 불러줄걸 싶었다.

"예삐다."

갑자기 료스케가 나를 끌어안았다. 예쁘다니, 나는 뜨거워지는 눈시울을 감추기 위해 서둘러 가방을 들었다. 료스케는 집안 청소를 이유로 남고 나는 언니와 집을 나섰다.

어젯밤 불빛은 어디로 갔을까. 아직 이른 시각 탓인지 상점들은 셔터를 내린 채 해무 뒤에 숨어 지난밤의 이방인들이 토해낸 열기에도 잘 버티고 서 있었다. 머리 속에서부터 흐르는 땀이 목을 타고 내려왔다.

키사텐 실내는 동굴처럼 아늑했다. 언니는 스위치를 찾아 어둠 속으로 사라졌다. 잠시 후 불이 켜지고 실내가 눈에 들어왔다. 간밤에 왁자글하게 손님들이 나눴던 말의 파편들은 어둠과 함께 뿔뿔이 사라지고 실내는 고즈넉했다. 어제와 다른 느낌으로 생경했다.

"저건 뭐야?"

어제는 보지 못한 붉은 조각상 앞에서 나는 움찔하며 걸음을 멈췄다. 언니의 손이 내 어깨를 감쌌다.

"사암으로 조각한 가네샤상이야. 인도의 신화에 나오는 지혜와 행운의 신이래. 료스케가 아끼는 거란다."

언니는 이곳을 거쳐 가는 모든 여행객들에게 행운을 안겨줄 거라 믿고 있는 듯했다.

"너에게도……."

날씨는 아침부터 무더웠다. 나는 걸어오는 동안 머리 속에 고인 땀이 사그라질 때까지 키사텐 테이블 사이를 돌아다녔다. 정체불명의 향과 해무에 쌓인 듯 꽉 찬 담배 연기와 왁자지껄한 소란이 왠지 곧 그리워질 것 같아서였다. 잠시 후 료스케가 들어왔다. 나를 바라보는 눈빛이 한결 더 다정해 보였다. 형부라고 불러준 덕분일 것이다. 나는 한 번 더 형부라고 부르려다 참았다.

료스케가 우리 셋을 위해 준비한 모닝 세트는 단출했다. 계란프라이와 커피, 샐러드와 오므라이스가 테이블 위에 놓였다. 침이 고였다. 료스케가 많이 먹으라고 반복하는 말이 마치 자장가처럼 들려 나른해졌다. 나는 많이 먹겠노라 했고, 보고 싶을 것이라 했다. 내 말에 료스케는 어눌한 말 대신 눈으로 많은 말을 했다.

상념들로 심란했던 것들이 단출한 모닝 세트 앞에서 정리되어 갔다. 우리는 모닝 세트를 앞에 놓고 오래도록 먹었다. 맛있었다. 주책없이 이말 저말을 떠벌리는 나를 언니는 의아하게 바라보았다. 료스케는 수시로 언니의 볼을 손등으로 가볍게 만졌다. 내 앞에서 쑥스러워하는 언니의 어깨를 간혹 감싸 안기도 했다. 그럴 때마다 언니는 내 눈치를 봤다.

"곧 다시 온다고 약속 할 거지?"

"글쎄."

앞으로 약속 따위를 하지 않아도 언제든 오고 싶으면 올 수 있을 것 같은 근거 없는 자신감을 설명하고 싶지 않아 나는 대답을 얼버무렸다.

"우리 이렇게 살자. 응? 자주 얼굴 보여주며 살자."

언니는 아이처럼 보챘다.

다시 흙냄새가 났다. 먼 곳을 돌아 흙을 품고 돌아온 여행자에게서 나는 냄새였다. 갑자기 나이를 먹어 쇠잔한 늙은 여자가 된 것처럼 힘이 빠져 왔다. 이유를 꼭 집어 말할 수 없지만 긴 시간 굴욕 뒤에 찾아오던 무력감 같았다.

출입문을 밀고 들어선 노부부는 두런거리며 테이블을 골라 앉았다. 그들은 모닝 세트를 주문하고 기다리는 동안 끊임없이 두런거렸다. 반바지에 슬리퍼 차림으로 보아 가까운 곳에 사는 듯 보였다.

"소오소오 소노토오리다, 판소리의 추임새 같은 저 말이 뭘 의미하는데 계속 반복해?"

"옳아, 그렇지, 그런 말이야."

그들은 매일 첫 손님으로 와 모닝 세트를 사이에 놓고 서로에게 긍정의 에너지를 보낸다고 했다.

"저녁에도 오는걸. 노인들에게 이곳은 구내식당인 셈이야."

언니는 활짝 웃으며 다른 테이블로 갔다.

'키사텐을 하루도 문 닫을 수가 없었어.'

나는 언니가 했던 말을 이제야 이해할 것도 같았다. 료스케는 주방을 들락거리며 손님을 대접했다. 주방 앞 테이블에는 세 명의 늙은 남자가 앉아 담배 연기를 뿜었다. 그들이 뿜어 대는 담배 연기가 마치 비행운처럼 뽀얀 길을 만들었다. 음식을 씹을 때마다 건조하고 마른 얼굴에 깊게 파인 주름이 따라 움직였다. 노인들은 혼자 앉아 있는 나를 힐끔거렸다. 푸석해진 나도 저들과 같게 보일 것이란 생각이 들었다. 나는 최대한 밝게 웃어 보였다.

"푸레젠토"

료스케가 스케치북 한 장을 내밀었다. 언니와 내가 어묵탕 먹는 장면을 그린 것이었다. 키사텐 벽에 걸린 숲속 여자처럼 편안해 보이는 두 여자가 웃고 있었다. 가슴이 뭉클해졌다. 료스케는 가볍게 그린 그림을 보고 울먹이는 나를 이상하다고 했다.

"고마워요, 형부."

료스케가 형부라는 말을 알아듣고 좋아했다. 료스케는 작별하는 시간이 길어지면서 일본말로 한참을 수다 떨었지만 언니의 통역은 모닝 세트처럼 단출했다.

"잘 가. 곧 또 올 거지. 행복하게 지내."

언니와 나는 약속한 것처럼 동시에 일어나 밖으로 나갔다.

택시는 푸르디푸른 가로수를 급하게 제치며 달궈진 도로를 내달렸다. 나는 차창으로 비추는 여름 볕이 너무 눈부셔 눈을 감았다. 잊은 줄만 알았던, 자신에게 가장 엄중하게 몰아치던 시기의 기억들이 감긴 눈자위로 지나갔다.

"아팠겠구나."

타인의 삶을 바라보며 남의 말을 흉내 내듯 중얼거렸다.

간사이공항은 생각보다 한가했다. 언니가 내 손을 잡고 놓지 않는 것인지, 내가 언니 손을 잡고 놓지 못하는 것인지 모르게 서로 손을 마주잡았다. 우리는 정지 화면처럼 한자리에 박혀 있었다.

"언니."

"지수야."

동시에 서로를 부르고 그것이 우스워 웃었다.

"기다리고 있을게."

언니가 젖은 눈을 깜빡거렸다. 나와 언니는 특별히 할 애기가 없다는 것을 서로 알고 있었다.

"잘 가."

"잘 있어."

"또 언제 보지?"

나는 궁색한 대답 대신 유리창 너머로 시선을 보냈다. 비상하기 위해 큰 몸으로 안간힘을 쓰는 비행기가 눈에 들어왔다. 마침내 떠오른 비행기는 한 점으로 멀어져 갔다. 언니와 내가 서 있는 2층까지 미세하게 떨림이 전해지는 듯 했다. 언니를 뒤로하고 트랩을 밟았다. 활주로 경계를 알리는 비행등에 햇살이 반사돼 보석처럼 반짝였다. 내가 탄 비행기도 태양이 작열하는 하늘을 향해 안간힘을 다해 떠오를 것이다.

그 여름의 윤헤어

거짓말의 시작은 그 여름 햇볕이 파고들던 윤헤어에서 시작되었고 아직 거짓말은 끝나지 않았다. 거짓말이 엄마로부터 시작된 것인지 나로부터 시작된 것인지 나는 아직 모르겠다. 분명한 건 거짓말을 끝내고자 오늘도 거짓말을 한다는 것이다. 그날 광고지가 덕지덕지 붙은 윤헤어 문틈을 들여다보는 것에서 멈췄더라면 맹랑한 거짓말의 시작은 없었을 것이다.

다섯 번의 부재중 전화를 확인했다. 엄마의 전화였다. 엄마는 내가 지국을 나오는 시간을 귀신같이 알았다. 지국에 알리지 못한 퇴회 회원의 학습지까지 챙겨서 가방이 터질 것 같았다. 가방을 멘 쪽 어깨가 아파 반대쪽 어깨로 옮겨 메는데 다시 전화가 왔다.

"바닷물이 말랐다는 말을 귓등으로 듣니? 왜 대답이 없어.

내 말이 말 같지 않아?"

"뭐라고요. 뭐라 그랬어요?"

"바닷물이 말랐다고……."

"지금은 수업 중이니까 내일 일찍 갈게요."

엄마의 채근에 또 거짓말을 했다. 수업 중, 그것만이 잠시 엄마의 속사포를 끊을 수 있는 유일한 거짓말이었다. 매일 도망자 영화에 출연하는 기분이었다. 하늘은 맑고 파랬다. 햇볕이 내리꽂히는 빌딩 유리창에 물체가 매달려 있었다. 분명 사람이었다. 엉덩이만 허공에 떠 있는 듯 보였다. 밀대를 휘저으며 허공 같은 투명 유리를 닦고 있었다. 사람이라고 확신한 순간 발을 떼지 못하고 제자리에서 꼼짝 못 했다.

국군의 날 행사장은 가족과 친지, 시민들의 열기로 후끈했다. 패스트로프와 헬기 레펠 시범을 보면서 대한민국 국군의 용맹함에 환호가 고조되어 가던 순간, 헬기에서 물체가 연병장 복판으로 떨어졌다. 대다수의 사람들은 고도로 훈련된 고공 하강인줄 알고 환호를 질렀다. 간이 침상을 들고 뛰어오는 위생병을 본 후에야 행사장은 놀라움으로 술렁였다. 나는 남동생이 아니기를 간절히 바라며 엄마를 다독였다. 행사는 식순대로 진행되었고 우리는 눈앞에서 진행되는 행사를 건성으로 보다 집으로 돌아왔다. 동생이 소속된 부대에서 걸려온 비보를 받은 뒤로 나는 고소공포증에 시달렸다.

그 뒤 아예 높은 곳은 보지 않으려 애썼다. 허공에 매달려 유리창 닦는 사람을 보자 엄마가 빙초산을 마시는 것을 목도한 날처럼, 아버지가 공사판에서 떨어졌다는 말을 듣던 순간처럼 몸이 굳어 왔다. 기막힌 가족사가 만든 고소공포증은 내가 하는 거짓말처럼 아직 끝나지 않은 것이다.

수업 전 여유 있는 시간은 편의점 삼각 김밥 먹을 시간밖에 없었다. 일 년의 반이 지나가고 있는데 목표의 반의반도 채우지 못한 신입 회원 수는 어쩔 거냐고 반복하는 지국장의 늘어진 잔소리가 귀에 꽉 차 왔다. 지국장은 앉아서 점심 먹는 여유도 사치라고 생각하게 만들었다. 다시 가방을 멘 어깨가 욱신거려 반대쪽 어깨로 또 옮겼다. 편의점 유리문에 얼비친 내 모습에서 한쪽 어깨가 삐딱하게 처져 보였다. 처진 어깨를 살짝 올려 반대쪽 어깨와 높이를 맞췄다. 내친김에 양쪽 어깨를 몇 번 더 씰룩거렸다. 유리문에 비친 모습은 다행히 어깨춤을 추는 것 같아 나쁘지 않아 보였다.

삼각 김밥을 사 들고 지하 주차장에서 언제나처럼 자동차 자동키를 누르며 차를 찾아 뛰었다. 오른쪽 구석에서 빵하고 울리는 소리를 쫓아 차에 올랐다.

소라 엄마는 남편이 지방으로 발령 나서 학습지는 이달 말까지만 해야겠다고 진지한 얼굴로 말했다. 소라 엄마는 농담도

빈말도 없던 사람이었다. 나는 한마디 권유도 못 했다. 남매가 다섯 과목을 했다. 휴회 홀딩과 퇴회 홀딩, 체납 회비 대납이 열두 과목으로 늘었다. 상담자가 있다고 보고하면 지국에서는 바로 회원가입으로 잡았다. 상담이 무산 돼도 지국에 보고하지 못했다. 실적을 유지하고 질책을 피해가기 위해서였다. 소라 남매는 유령 회원으로 남매의 회비는 다음 달부터 내 수당에서 대납할 것이다. 소라가 말갛게 쳐다봤다. 꼭 언니의 흔들리지 않는 눈망울처럼 보였다.

긴 언덕길은 좁고 지루한 골목이었다. 언니는 집으로 오는 동안 한눈을 팔거나 장난치는 일이 없었다. 마을 중간쯤에 있는 슈퍼에서 대부분의 아이들이 불량품을 사 쭉쭉 빨 때도, 철물점과 윤헤어를 기웃거려도, 언니는 정면을 향해 직구처럼 걸었다. 표정 하나 흩트리지 않고 돌아와 두 무릎 사이에 얼굴을 묻고 울었다. 엄마는 큰길가에 새로 지은 건물에서 청소를 했는데 어떤 날은 일찍 마쳤다고 해가 중천에 떴을 때 돌아와 마루 끝에 누웠다. 엄마의 거친 숨소리는 왠지 낯선 남자가 누워 있는 듯 매번 익숙하지 않았다. 그렇게 느끼는 나와 달리 언니는 엄마와 친밀했다. 언니는 절대적으로 엄마 말을 거역하거나 미뤄 놓는 일이 없었다. 청소하고, 남동생을 씻기고, 내게는 제법 엄마 흉내를 내면서 씻으라고 명령했다. 저녁밥을 지어 우리를 챙겼다. 그러던 언니가 엄마 앞에서 울음을 터트렸다.

"아버지가 술 먹고 우리 교실에 왔었어. 교단에 올라가 분필 한 갑을 내던지고 '지혜야 나와라, 지혜야 어디 있니?' 그러다 끌려 나갔어."

엄마는 언니의 슬픔과 상관없는 사람처럼 남동생을 무릎에 앉히고 사 온 망개떡 배를 갈라 팥고물부터 입에 밀어 넣었다.

"우리 교실에도 왔었어. 환경 미화용 게시판을 뜯어 팽개쳤어. 학교 가기 싫어."

나도 아버지의 행실을 일렀지만 울지는 않았다.

"가기 싫으면 가지들 마. 느 아버지 그런 거 어디 한두 번이냐!"

엄마는 무념했다. 그리고 너무 많이 들어 외워 버린 말을 남동생에게 했다.

"너는 느 애비 닮지 말고 커야지. 우리 집 대들보로 자라야 돼. 우리 집은 네 손에 달렸다. 꼭꼭 씹어 먹고 힘 있는 사내로 자라야지?"

남동생은 볼이 터지도록 떡을 입에 넣고 고개를 끄덕이며 물었다.

"대들보가 뭐야, 왜 내 손에 달렸어?"

"삼대독자니 우리 집 대들보지, 네 애비가 사내 노릇 못하니 네가 해야 하고, 그러니까 우리 식구는 네 손에 달린겨. 뭔 소린지 알지?"

"응."

남동생은 엄마의 말을 알아듣고 대답 한 것일까. 동생의 대답이 이명처럼 들렸다.

더 이상 퇴회가 생기지 말아야 할 텐데, 좀 전에 목도한 공중에서 유리창을 닦던 이의 모습까지 떠올라 다리가 다시 떨리기 시작했다.

"소라야, 다시 학습지 하고 싶으면 연락해. 어머니 연락주세요."

소라네 집을 나서며 두 번을 뒤돌아보았지만 다시 부르는 일은 일어나지 않았다.

맥 빠진 다리로 언덕길을 올라가는 동안 두 번 현기증이 났다. 차가 들어올 수 없는 가파른 계단과 비탈길을 걸을 때면 큰길에 세워 둔 차가 그리웠다. 신입 회원을 늘려서 산 7번지 교실을 떠나 아파트 교실을 되찾아야겠다는 생각이 간절해졌다.

"성희는 다음 달부터 학원을 보내려고요. 미안합니다."

'성희 어머니, 그건 안 돼요.'라고 튀어나가려던 말을 마른침과 함께 삼켰다.

"말씀 드린다는 것이 좀 늦었네요. 성희가 우수 학생으로 선정됐습니다. 경품 당첨까지 두 배의 행운이 겹쳤습니다."

성희 엄마 눈빛이 흔들렸다.

"어머니, 성희가 요즘 연산 능력이 많이 향상됐다는 말씀 드렸던가요?"

성희 엄마의 마음을 되돌릴 한마디가 더 남았다.

"조금 바쁘시더라도 앞으로는 어머니가 계시는 시간대에 수업을 잡게 해 주세요. 성희의 향상된 학습을 직접 보시면 학원 오가는 시간 아깝다는 생각 드실 겁니다."

성희 엄마 대답을 기다리는 동안 아버지가 공사장에서 떨어지는 것과 동생의 고공 하강 사고를 목도할 때처럼 몸이 다시 경직해 왔다. 성희 엄마의 표정이 환해지는 것을 보면서 경직됐던 몸이 서서히 풀렸다.

탈퇴 회원이 늘기 시작한 것은 반년 전부터였다. 그 뒤로 아파트 한 동을 빼앗기고 산동네를 맡았다. 산 7번지 산동네까지 쫓아낸 것을 보면 아마도 지국장은 보고하지 않은 내 회원들의 휴회 홀딩을 알면서 모르는 척 하는 것이라 짐작 했다.

고학년 수업까지는 세 시간의 여유가 있었다. 엄마에게는 내일 간다고 했지만 차에 실린 바닥물을 갖다 주기로 하고 발길을 돌렸다.

골목은 곱창을 늘어놓은 것처럼 구불구불하고 음침했다. 식혜가 제일 맛있던 안성떡집을 지나 슈퍼에서 새콤달콤한 젤리를 사 질겅거리며 올라갔다. 양쪽으로 늘어선 집이 어깨에 닿을 정도로 골목은 좁았다. 깨진 시멘트 바닥 사이로 고개를 내민 손톱만한 꽃을 어쩔 수 없이 밟으며 걸었다. 태양이 뜨거운 탓인지 골목은 한산하다 못해 적막했다. 길게 누운 내 그림자를 밟으며 돌계단을 한참 올라갔다. 양손에 나누어 든 10L의 바닷물 때문에 어깨 인대가 3cm는 늘어난 듯 쑤셨다. 왜 꼭 바닷물이어야 하는지 궁금해 수돗물에 바닷물 염도로 소금을 타서 가져다 준 적도 있었다. 그럴 때마다 엄마는 어떻게 알아차리고 화를 냈다. 어떻게 알 수 있는지 궁금했지만 묻고 싶지 않아 다시 바닷물을 공수해 주었다.

오 년 전 바닷물에 들어 앉아 있던 어느 여름 날, 엄마는 상처 부위에 생기던 염증이 한결 좋아졌다고 생각한 뒤로 바닷물을 신앙처럼 믿고 상처 부위를 소독했다. 큰길가에 차를 세우고 좁고 긴 골목길을 세 번 왕복해서 얻는 30L의 바닷물을 엄마는 양식처럼 챙겨야 안심했다. 오 년 전 파란색 마티즈를 산 이유였다.

한 달에 한 번 찾는 동해는 내가 9살 때, 엄마에게 복수심에 내뱉은 거짓말 덕분이었다. 그때, 윤헤어 유리문을 들여다보지 않았다면 아마도 지금 같은 형벌은 없었을 것이다.

동네는 서울이지만 가장 서울 같지 않은 곳이었다. 자동차가 다닐 수 없는 좁은 골목이었고 대부분 담이 없으니 대문도 없었다. 이곳을 떠나지 못하고 오랜 이웃으로 살았다. 비슷한 형편이라 서로 비교 당할 일도 없고, 비슷한 걱정거리로 위로하고 위로 받으며 지냈다. 아버지가 사라진 것이 이 골목에서 제일 큰 사건이기도 했으니 엄마는 동네 사람들에게 늘 위로를 받고 지냈다.

해를 피해 느티나무 아래로 들어섰다. 아버지가 손바닥에 피를 뱉어낸 날도, 엄마가 병원에 실려 간 날도, 나는 골목 끝 다홍색 함석지붕으로 가지 못하고 느티나무의 짙푸른 녹음 아래서 쪼그리고 앉아 오래 울었다. 그때도 작은 산동네에 저렇게 큰 나무가 있다는 것이 신기했다.

느티나무 밑동에 뻥 뚫린 구멍은 여전히 검고 아득했다. 느티나무에 깊게 파인 구멍 때문에 죽겠구나 싶은데 봄이 되면 여전히 이파리를 달고 살아났다.

느티나무에서 막 일어나려는데 K에게서 전화가 왔다. 내 앞에 나타나지 않는 K는 전화 속 목소리로 자신의 존재를 알려 온지 오래였다. 그것 또한 내가 그의 전화를 안 받지 않을 거라는 걸 알기 때문일 것이다.

"잘 있는 거지?"

"늘 바쁘지 뭐."

나는 진심으로 대답하고 싶은 말을 삼키고, 흐응 가볍게 웃었다.

K는 더 이상 대꾸하지 않았다. 딱히 용건도 없다는 것을 나 또한 안다. 어느새 가벼운 친구가 돼 버린 듯 아쉬운 내색 없이 전화를 끊었다. K는 알았다. 늘 미련이 남는 쪽은 내 쪽이라는

것을. 그래서 K는 나를 가볍게 대할 수 있었을 것이다.

에어컨을 켜 놓았는지 윤헤어는 뜨거웠던 그날처럼 문이 닫혀 있었다. 여전히 유리문은 색 바랜 잡지들로 도배돼 있었다. 틈새로 안을 들여다봤다. 엄마를 상대로 돌이킬 수 없는 거짓말을 할 때 있었던 여자들이 서너 명 보였다. 그들은 그날처럼 비슷한 파마머리에 비슷한 기하학적 무늬의 바지와 꽃무늬 상의를 입고 있었다. 나는 집을 향해 돌아섰다. 그날도 오늘처럼 들여다보는 것에서 끝냈더라면 엄마와 내게 언제 끝날지 모르는 형벌은 없었을 것이다.

햇볕이 강렬한 그날, 나는 출입문 틈으로 들여다보는 것을 그만두고 윤헤어로 들어섰다. 엄마는 나를 보자 가라는 듯 손을 밖으로 까닥거렸지만 그들 중 누군가가 의자를 가리키며 손짓을 했다. 돌아서 가는 것은 더 큰 용기가 필요했으므로 나는 천천히 엄마 옆으로 가 앉았다.

"여긴 뭐 하러 와? 앤 어디든 따라붙어 성가셔 죽겠어. 매번 우리 큰애랑 얘 떼 놓느라 고생한다니까."

나는 눈을 부라린 엄마의 시선을 무시하려고 딴전을 피웠다. 여자들과 엄마 앞에서 이상하게 얼굴이 달아올랐다. 엄마가 손을 올렸다. 금방 한 말이 미안해 내 어깨라도 감싸 안으려는 줄 알고 나는 엄마 쪽으로 몸을 밀착했다. 순간 엄마는 내 등짝을 후려쳤다. 아프다는 생각보다 야릇한 배신감과 수치심이 밀려왔다. 나는 엄마가 생경하게 느껴졌다.

"엄마가 있으니 왔지. 이거라도 먹어 봐라."

어색한 분위기를 무마하려는 듯 누군가가 들고 있던 감색 플라스틱 컵을 내게 건넸다. 엄마는 그것을 빼앗아 누군가에게 다시 건넸다.

"어린애가 무슨 커피야."

나는 플라스틱 컵을 잡았던 손끝의 감촉이 사라진 뒤로도 한동안 둥근 손 모양을 허물어뜨리지 못하고 바라봤다. 노여움보다 수치심에 눈물이 핑 돌았다. 가끔 맛본 달달하고 쌉쌀한 커피 맛을 좋아했는데 그것을 모르는 것은 엄마라고 생각하며 쏘아봤다. 엄마는 쏘아보는 내 등짝을 다시 가볍게 후려쳤는데 눈에 고였던 눈물이 뚝 떨어졌다.

엄마는 그날 청소하는 건물이 단수되어 일찍 돌아왔다고 했다. 엄마는 돌아와 가장은 어디로 숨었는지, 삼대독자 아들놈은 어떻게 잘 키워낼지, 그런 생각으로 머릿속이 복잡하다고 양미간을 찌푸렸다. 헝클어진 머리칼을 손가락으로 득득 긁어내리며 모처럼 시간 날 때 파마나 해야겠다고 말하며 밖으로 나갔다. 나는 이 기회를 놓치고 싶지 않았다. 윤헤어는 동네 여자애들에게 선망의 장소였다. 윤헤어에 다녀왔다고 하면 친구들한테 자랑거리가 생긴다는 생각에 설레 몰래 엄마 뒤를 따라붙었다.

엄마는 파마하기 위해 머리를 자르기 시작했다.

"오해 말고 들어. 내 금반지가 없어졌어. 그저께 우리 집에서 모두 모여 냉커피 마셨잖아? 분명 문갑 위에 두었는데……."

우리 집에서 두 집 건너 사는 여자였다. 윤헤어 안은 술렁이기 시작했다. 여자들은 자신의 결백에 관해 한마디씩 앞다투어 말했다.

"하필 그날 없어졌어? 찝찝하게. 난 문갑 근처도 안 갔어. 마루 끝에 앉았다 커피만 마시고 바로 돌아갔던 거 알지?"

"난 애 아빠가 그날따라 일찍 와 저녁밥 하러 간 거 생각날 거야."

"그러게, 왜 하필 내가 갔던 그날이야?"

엄마는 퇴근하던 길에 동네 여자들이 모여 깔깔거리는 소리에 생각 없이 들렀던 그날을 원망하는 말투였다. 나는 난감해하는 엄마를 보면서 더 난감하게 만들고 싶다는 생각이 문득 들었다.

"우리 엄마가 그 반지 가져갔어요."

엄마 때문에 겪은 좀 전의 수치심과 배신감에 씩씩거리던 내 입에서 단속할 새도 없이 나온 말이었다. 엄마는 머리를 자르다 내말에 놀라 벌떡 일어난 바람에 머리칼을 자르던 가위에 귓불이 잘려 피가 뚝뚝 떨어졌다.

“너 미쳤니? 내가 뭘 가져갔다고?, 너 미쳤구나?”

시퍼렇게 날 선 엄마의 눈이 번쩍였다. 엄마는 내 머리채를 잡아 흔들기 시작했다. 나는 엄마가 흔드는 방향으로 한동안 흔들리고 있었다. 언니 옆에 엎드려 마론 인형 옷 갈아입히기나 할 걸, 후회했지만 이미 내 입은 열렸고 엄마는 내가 뱉어낸 거짓말 때문에 미쳐 갔다. 엄마 말처럼 미친 짓을 했다는 생각에 이르렀지만 울음을 터트린 쪽은 내가 아니고 엄마였다. 두려움으로 울음도 나오지 않는 나와는 달리 엄마는 억울함으로 악을 쓰며 울고 있었다. 엄마와의 외출을 약속 받고도 매번 억울하게 따돌림을 당하던 나처럼.

“엄마 나도 데려가 줘.”

아버지 병원에 갈 때마다 실랑이가 벌어졌다.

“보채지마. 알았으니까.”

엄마의 약속에 왠지 동생과 같은 격이 된 듯 으슥해졌다. 아끼던 핑크빛 원피스로 갈아입고 정류장까지 걷는 동안 나는 텔레비전에서 본 축구선수의 골 세레모니처럼 다리를 엇갈려가며 깡충거렸다. 파란색에 하얀 줄이 간 시내버스가 오고 있었다. 나는 제일 앞쪽에 섰다. 언니를 돌아보았다. 불쌍한 언니, 다녀올게. 웃음으로 인사를 대신했지만 언니는 전혀 불쌍한 표정이 아니었다. 옅은 미소까지 띄고 있었다. 버스 문이 열린 뒤 나는 분명 한쪽 발을 차에 올렸는데 몸은 버스 밖 땅을 밟고 있었다. 누군가가 내 뒷덜미를 낚아챈 것이었다. 그러는 사이 버스는 이미 엄마와 동생을 태우고 내 억울함을 대변하듯 먹구름을 토해내고 떠났다. 나는 뒷덜미를 낚아챈 손에서 풀려나 뒤를 돌아보았다. 열 살 언니에게서 나올 수 있는 힘이 아니라고 생각했지만 분명 나를 잡은 건 언니였다. 나는 데굴데굴 구르며 울었다. 언니는 아무 반응 없이 저벅거리며 걸어 나한테서 점점 멀어졌다. 쫓아가 언니 눈앞에서 다시 구르면 언니는 또 멀어져갔다. 두 살 많은 언니가 아니었다. 엄마의 권력을 나눠 가진 자의 폭력이었다. 그 뒤로도 몇 차례 더 엄마와 언니는 나를 떼어 놓는 은밀한 약속을 했고 나는 매번 너무도 자연스럽게 속았다.

며칠 동안 나는 윤헤어를 들락거리며 그 자리에 있던 여자들에게 내가 했던 말은 거짓말이었다고 진실을 바로잡기 위해 절규했다.

"그렇구나. 쯧쯧쯧, 근데 엄마가 시키데? 네가 꾸민 이야기라고 말하라고? 어른이 애한테 거짓말까지 사주하다니, 못됐다 정말. 쯧쯧쯧."

내가 하는 변명은 엄마에게 더 큰 오명으로 돌아갔다. 점점 윤헤어에서 한 내 거짓말은 단단한 껍데기로 싸인 너무도 완벽한 진실로 둔갑하여 깰 수가 없었다. 거짓말 이후 윤헤어는 엄마를 자근자근 씹는 온상이 되었다.

"마루에 있던 다리미가 없어졌어."

새로 장만한 구두, 심지어 우산까지 도둑맞았다고 쑥덕댔다. 잠금장치 없던 이집 저집에 작은 출입문마다 자물쇠가 걸리기 시작했다. 물건을 잃어버렸다는 사람이 전염병처럼 늘어났다.

"나 아닌 거 알잖아."

나와 언니가 예쁜 머리핀이나 인형을 거리에서 주워 오면 엄마는 그것들을 주워 왔던 자리에 다시 갖다 놓게 했다. 주워 오다 보면 가져오고 싶어진다는, 깔끔한 성격의 엄마는 괴로운 만큼 나를 미워했다.

내가 엄마를 도둑으로 몰아간 거짓말을 한 이후 꼭 한 달 되던 날이었다. 엄마는 건물 청소를 마치고 윤헤어를 지나 집으로 가던 길이었다. 나는 언니의 잔소리를 피해 밖으로 나와 우연히 엄마와 윤헤어 앞에서 맞닥뜨렸다. 습하고 무더운 날이었다. 윤헤어에서 흘러나온 동네 여자들의 웃음소리 가운데 엄마가 용인할 수 없는 말이 섞여 있었다. 그 말은 엄마의 분노에 불을 붙이기에 충분했다.

"다 지혜 엄마 그 여편네 짓이지 뭐야, 이웃에 좀도둑이 있는 줄도 모르고……. 쯧쯧쯧."

엄마는 갑자기 집으로 달려가 뭔가를 들고 윤헤어로 돌아왔다.

"왜, 무슨 할 말 있어?"

누군가가 또박또박 약간은 전투적으로 엄마를 째려보며 말했다.

"이것들이 어린애 거짓말에 진짜 사람 도둑 취급하고 지랄들이야. 결백하다는 걸 보여주기 위해서 이거라도 마셔야 되겠냐? 그래야 되겠어?"

엄마는 가져온 병목을 잡고 뚜껑을 휙 돌려 땄다.

"빙초산이잖아, 쇼하네. 못 처먹어도 병신이다."

누군가가 비아냥댔다.

"엄마, 그러지 마."

나는 울음을 터뜨렸다. 지난 한 달, 살얼음을 딛고 걸어 온 불안한 여정이 조용히 묻히기를 간절히 바랄 뿐이었다. 그런데 더 크게 퍼져 가는 불안한 기류에 나는 겁났다. 그러는 동안 또 누군가가 불행의 단초가 될 한 마디를 던졌다.

"똥 싼 놈이 성 낸다더니……"

빙초산 마시기를 종용하듯 그곳에 있던 대여섯 명이 일제히 엄마를 쳐다봤다. 엄마는 누군가가 말리면 못 이기는 척 종료할 상황을 잠시 기다리는 듯 주춤했다. 불행히도 엄마가 멈출 수 있도록 빌미가 될 어떤 것도 만들어지지 않았다. 엄마의 얼굴에는 쇼로 끝내기에는 이미 많이 와 버렸다는 난감함이 엿보였다. 병을 든 엄마의 손이 바르르 떨렸다. 나는 엄마가 들고 있는 병을 빼앗고 싶었지만 몸이 빳빳하게 굳어 움직일 수가 없었다. 엄마는 내 눈을 맞추며 즐겨 먹는 드링크제나 쌍화탕을 마실 때처럼 빙초산을 입에 확 부었다. 엄마는 목덜미를 잡고 데굴데굴 굴렀다. 입에서 나온 선홍색 피가 목을 움켜 쥔 손을 타고 흘렀다.

"하필 여기서 지랄들이야."

윤헤어 주인 목소리가 들렸다.

"빨리 119에 전화해."

누군가가 소리를 질렀다.

"엄마 잘못했어요. 용서해 주세요."

나는 바들바들 떨면서 작은 소리로 입안에서 웅얼거렸다. 윤헤어는 파마 약과 아세트산 냄새가 섞여 고약했다. 나는 엄마를 말리지 않은 여자들이 원망스러웠다. 한참 울다 갑자기 이해할 수 없는 안도감이 올라왔다. 잘 정리되지 않은 생각이지만 연대 죄의식 같은 거였다. 대여섯 명의 어른들이 위험한 처지를 방관했다는 것만으로도 나는 그들과 죄의식을 나눠 느껴도 되지 않을까, 그런 엉뚱한 생각이 이상한 안도감을 가져다주었다.

"너를 내 곁에 두고 평생 증오할 거야."

병원에서 정신을 차린 엄마가 나에게 한 첫 말이었다. 자신의 삶을 망가뜨린 사람에 대한 분노였다. 나는 눈 내린 다음 날

새벽, 세상이 하얀 눈에 덮여 본래의 모습이 사라져 버리던 날처럼 하룻밤 자고 나면 없었던 일이 되어 있기를 매일 밤 기도했지만 눈뜨면 변함없는 엄마의 날 선 눈빛과 마주했다.

흐르는 땀을 닦고 헉헉대며 걸었다. 어깨가 점점 더 아파 왔다. 언제까지 이 짓을 해야 하나 싶어 짜증이 났다. 바지 주머니에서 진동이 느껴졌다. 지국장이었다.

"이따 잠깐 사무실 좀 들려. 정우 어머니한테 전화 왔었어. 거짓말쟁이 취급을 받았다는데 뭔 짓을 한 거야? 학습지 선생한테 모욕 당했다고 방방 뛰던데?"

정우 엄마는 두 회원을 소개 입회시켜 준 명목으로 나를 과외 선생처럼 대했다. 정우는 초등학교 4학년 아이답지 않게 섬뜩할 때가 많았다. 학습지를 채점하기 위해 수거해 간다는 것을 알면서도 절반을 넘기면 낙서가 나왔다.

—종아리 맞아야 된다고? 좋아 맞지 뭐.

낙서가 나에 대한 것인지 정우 엄마에 대한 것인지 묻지 못했다.

정우 엄마가 회비 봉투를 분실했다고 수선을 부렸다.

"정우 어머니, 이번 달 회비 아직 안 주신 거 알고 계시죠? 말씀드린 것처럼 지난주에 주신 것은 지난달 밀린 회비였습니다."

"사람을 도둑놈 취급해요? 선생님 몹쓸 사람이네요. 이달까지 다 냈잖아요. 괜찮은 사람인 줄 알고 신입 회원도 소개한 건데, 실망했습니다."

"정우 어머니 봉투 잘 찾아보세요. 회비 봉투 찾으시면 쉽게 확인될 거예요."

"뭐요? 정말 도둑 취급하시네. 이번 일 그냥 못 넘어가요."

죄송하다고 말하는데 눈가가 뜨거워졌다. 속도 쓰려 왔다. 어제 정우 엄마와의 언쟁 얘기를 듣던 김 선생이 자신도 속이 복잡하다고 같이 한잔 하자고 한 것이 과했던 모양이다.

유일한 술친구인 김 선생은 맑은 소주 몇 잔에 억울하다고 하소연했다. 얼마 전에 김 선생 동생이 아들을 낳았다고 했다. 김 선생 친정엄마가 김 선생 동생네 애와 김 선생 애를 같이 키우는데 김 선생 아들이 사촌 동생에게 관심을 빼앗긴 것에 대한 화풀이로 난폭해졌다는 것이다. 김 선생 남편은 어려서 다 그렇게 자라는 거라고, 신경 쓰지 말고 일이나 열심히 하라고 한 말이 서운하다며 김 선생은 소주 한 병을 비웠다. 김 선생은 열네 과목, 나는 열두 과목의 회비 대납 회원을 가졌다. 관리자의 실적, 정해진 수 이상의 퇴회 신고 금지 관행 때문에 적절한 조치를 취하지 못하고 어정쩡하게 퇴회 회원 수를 거짓말로 신고했다. 그리고 월급의 일부로 회비를 대납했다. 학습지 가방을 칠 년째 어깨에 메고 다녔지만 당장 일을 놓으면 퇴직금도 없는 실업자가 될 처지였다.

별을 안고 언덕을 오르다 들어선 집안은 어두웠다. 나는 신경질적으로 10L의 물을 마루 끝에 팽개쳤다. 시위하듯 팔을 돌려 보고 어깨를 두드렸지만 엄마의 시선은 건조할 뿐이었다. 그래도 선풍기를 내 쪽으로 돌려 주는 것으로 마음을 대신했다. 옷걸이에 못 보던 옷이 보였다. 엄마는 먹지 못하는 욕구를 싸구려 옷을 사는 것으로 해소했다. 주로 검정색 옷이었다. 내 월급날에 맞춰 자신이 가진 돈을 무엇이든 사 들여 이월될 돈을 만들지 않았다.

가져온 바닷물을 항아리에 부었다. 물 붓는 소리가 집안을 잠시 경쾌하게 만들었다. 엄마는 식사 중이었다. 음식을 입으로 씹어 그릇에 뱉어 내고 그것을 굵은 주사기로 배와 연결된 호스에 천천히 밀어 넣었다. 누구와도 겸상하지 않는 것을 알기 때문에 우리는 밥에 대한 인사는 하지 않았다. 입으로 씹지만 삼킬 수 없는 불만은 상상 이상이었다. 나는 엄마가 음식을 씹어 삼키지 못하게 한 원흉으로, 늘 응분의 대가를 받을 준비를 해야 했고, 뱉어 내는 음식물 취급을 받아야 했다.

다시 10L의 바닷물을 가지러 자동차까지 내달렸다. 뛰어 내려가는데 더위를 피해 담벼락 밑에 혀를 쭉 빼고 헐떡이는 개와 맞닥뜨렸다. 어제 유라네 집에서처럼 머리털이 섰다.

유라의 교재를 잘못 가져갔다. 전날 마신 술 탓이라 생각했다. 나는 유라가 학습 능력이 빨라 난이도가 한 단계 높은 테스

트용 학습지를 가져왔다고 거짓말을 했다. 논술 부교재를 빠뜨리고 갔던 주택가 아이한테는 회사에서 교재 연구 결과 기존 학습지에 첨가할 부분이 있어 검토 중이라고 둘러댔다. 다음 주면 정상적인 교재를 사용하게 될 거라고 했다. 거짓말이 술술 나왔다. 성희는 분명 답지의 답을 그대로 베껴 놓고 과정은 다른 종이에다 썼다고 했다. 종찬이도 나처럼 거짓말이 일상어였다. 종찬이는 다 끝낸 교재가 어디 갔는지 모르겠다며 찾았다. 나는 괜찮다고 했다.

5L씩 양손에 들고 빠르게 걸으려 했지만 마음이 급해 발을 빠르게 내딛지 못하고 땀만 흘렀다. 엄마는 식사가 끝났는지 배에 난 구멍의 분비물과 호스에 낀 찌꺼기를 바닷물로 닦고 호스 끝을 묶어 배 위로 설레설레 말아서 긴 붕대로 고정했다. 엄마는 누구에게도 자신의 식사하는 과정을 보이지 않아 누구와도 겸상하지 않았다. 혼자 먹는 밥, 식도를 통해 삼킬 수 없는 식사, 그것만으로도 내게 주는 어떤 형벌도 부족하다고 여겼다. 엄마가 나에게 거짓 약속을 하지 않았더라면, 윤헤어에서 느낀 수치심이 아니었다면, 언니의 발칙한 동조만 없었더라면, 윤헤어에서의 맹랑한 거짓말은 일어나지 않았을까, 반문해 보았다.

"꼭 그 물로 닦아야 개운해서. 어서 죽어 없어지면 바닷물 때문에 고생 안 하고 좋겠지?"

"무슨 소리야? 고생은 하지만 그래도 오래 사셔야죠."

"거짓말."

"거짓말이라고 믿는 사람이 왜 물어봐?"

태양 집열판 같은 함석지붕의 열기로 이마에 맺힌 땀을 닦아 내며 엄마는 말했다. 엄마는 내 입에서 나오는 모든 말이 거짓말이라고 믿었다. 때로는 그게 오히려 편했다. 결혼하고 싶은 남자가 있다든지, 10L 바닷물을 들고 세 행보 하는 것 역시 짜증난다든지, 요즘은 노숙자를 보면 아버지일까 싶어 고개를 돌려 자세히 본다든지, 내 입에서 나오는 모든 것을 거짓말이라 믿는 엄마에게 사실을 거침없이 말하기는 쉬웠다. 모두 거짓말이라 믿을 테니까.

나는 끈적끈적한 땀이 싫어 선풍기 앞에 바짝 달라붙었지만 여전히 압력 밥솥에서 나오는 김만큼 후끈한 바람만 얼굴에 닿았다. 지갑에 있는 돈을 모두 꺼냈다. 의무감 때문만은 아니었다. 나에게서 나오는 것 중 제일 정직한 것이 돈이라고 믿는 엄마였다. 내가 한 말이 거짓말이 아닌 것을 증명하라고 떼쓰듯 나를 쳐다볼 때마다 증명해 보일 것이 돈 밖에 없기 때문이었다. 또한 돈은 엄마에게서 나를 건져 내기 위한 흥정이기도 했다.

이달 중순께 바다에 갈 꺼다. 준비해. 방 예약하고……."

"알았어요. 남은 바닷물은 내일 아침에 가져올게요. 지국에 들어갔다 수업하러 가야 해서요."

가방을 들고 일어났다. 엄마의 시선도 따라 일어났다. 엄마는 무심한 척 보이려고 눈을 돌렸지만 어디까지라도 따라붙고 싶은 떨리는 눈동자까지는 감추지 못했다. 돌아서는 발걸음이 무거웠다. 뒤를 돌아보지 않고 한 번에 집이 보이지 않는 곳까지 뛰어 내려왔다. K와 헤어지던 날처럼.

"번지 점프 했어."

회사 동료들과 래프팅 하러 간다던 그가 돌아와 내 생애에 가장 멋진 경험을 했다며 안나푸르나 8,700m 최고봉을 정복한 사람처럼 감격하며 수선을 떨었다. 나는 돈을 내고 위험한 것을 해 봤다고 즐거워하는 것이 이해가 되지 않았다. 말만 들어도 몸이 오그라졌다. 내가 고소공포증이 있다는 것을 알면서 내 앞에서 자랑을 하다니. 리필한 커피를 마시고 케이크에 포크를 푹 찍어 조각을 내어 입으로 가져가고 있을 때였다.

"우리 결혼에 대해 생각해 봤어."

그가 결혼 이야기를 했다. 결혼 이야기를 꺼내면서 열 시간쯤 씨름하던 수학 문제가 풀렸을 때처럼 스스로 대견한 듯 눈을 껌뻑였다. 결혼 이야기를 하려면 장미꽃이라도 들고 왔어야 되지 않나, 약간 실망했지만 들키고 싶지 않아 목소리를 가다듬었다.

"좋아, 언제쯤이 좋다는 거야?"

나는 좀 수줍다는 듯, 그러나 예견된 이야기쯤으로 가볍게 받아들이는 척했지만 K의 그대로 남은 커피처럼 내 속은 탔다.

"표정을 보니 너도 나와 비슷한 것 같은데 우리한텐 특별한 기류가 흐르는 것 같아. 그치?"

"그러니까 특별한 게 뭐야, 답답하게……."

그의 대답과 상관없이 내 대답은 정해졌으므로 그의 대답을 재촉한 것은 단지 어색한 분위기가 싫어서였다.

윤헤어에서 생긴 일을 보면 거짓말과 참말은 말하는 사람이 아닌 듣는 사람이 규정 한다는 것을 알았다. 내가 한 말은 거짓말이었다고 아무리 사정해도, 이미 듣는 사람은 믿고 싶은 대로 굳게 믿었다.

"결혼하지 말고 그냥 합쳐 살자고…… 절차와 관습이 뭐 대단한 거라고. 나는 평생 너를 내 가족처럼 지켜줄 수 있는데 결혼은 진짜 부담 돼. 결혼은 가장 어려운 거잖아. 가장 쉬운 것부터 해 보고 괜찮으면 어려운 것까지 하자."

나는 K의 말에 대답하지 못했다. 그동안 나는 그에게 유일하게 참말을 했다. 그런 사람을 떠나보내고 싶지 않아 진지한 거짓말을 모색 중이었지만 그 뒤 K는 더는 내 앞에 나타나지 않았다. 평생 내가 벌어 먹여 살릴 수도 있다는 둥, 한눈에 아랫동네가 훤히 내려다보이고 손을 뻗으면 별이 닿을 것 같은 높고 근사한 곳이 우리 집이라는 둥, 바닷물을 가두어 언제든지 바다 속으로 들어갈 수 있는 곳이 우리 집이라는 둥, 참말과 거짓말 사이의 미묘한 경계에 있는 거짓말을 그에게 했었다. 이제는 내가 하는 일상에 난무한 거짓말을 어떤 한 사람 앞에서는 멈추고 싶었다. 내가 아직 그런 희망을 가지고 있다는 것은 다행이었다. K와 헤어지기 며칠 전, 그의 침대 시트 위에 나에게서 나온 많은 것들이 흩어져 있듯이 내 것이 아닌 예쁜 비즈가 장식된 여자 머리띠와 스타킹을 발견했다. 나는 그때 K 몰래 그것을 침대 밑으로 밀어 넣었다.

도시 사람들은 여름휴가를 위해 떠나고 있었다. 나도 그 대열에 끼어 고속도로의 아스팔트에서 뿜어내는 열기 위에서 달리다 서다를 반복하며 동해를 향했다. 엄마와 함께였다. 일 년에 한 번, 가장 태양이 이글거릴 때 엄마는 아예 바닷가 옆 민박을 정해 놓고 여름이 절정인 동안 그곳에서 지냈다. 이글거리는 태양과 가장 가까운 슬레이트 일자집에서 습기와 열기와 싸우다 보면 배에 뽑아 놓은 호스 부위에 염증이 심해지기 일쑤였다. 집을 떠난 바닷가의 보름간은 엄마가 나를 향해 뻗은 감시의 끈을 스스로 걷어 들이는, 엄마와 나 모두에게 건강한 시간이었다. 나를 위한 보름간의 유일한 호사를 누릴 수 있는 시간이기도 했다.

K는 인천에서 열리는 펜타포트 록페스티벌에 가자고 했었

다. 이박 삼일 휴가를 내서 자원봉사를 신청했다고 했다.

"사람과 음악과 자연이 어우러진 근사한 록의 향연이야. 내가 미치게 좋아하는 '헤븐 쉘 번'도 '스테랑코'도 오거든. 젊음과 열정이 넘치는 현장에 너를 꼭 데려가고 싶어. 가끔 너한테 늙은 여자가 보여. 그럴 때 좀 무서워."

그러나 나는 록페스티벌이 아닌 동해안으로 가고 있었다.

신을 벗고 바다를 향해 걸어 나갔다. 모래는 금방 불에 볶아낸 듯 뜨거웠다. 엄마와 나는 인파가 드문 갯바위 쪽으로 갔다. 바위에 부딪치는 포말이 내 속에 부글부글 부푼 거짓말 항체를 쓸어낼 것 같이 시원하게 밀려왔다. 대학생으로 보이는 한 무리의 사람들이 왁자지껄 놀고 있는 곳을 지나가는데, 튕겨져 나온 비치볼을 줍기 위해 내 앞으로 온 여자를 보고 하마터면 언니를 부를 뻔했다. 귀 밑에서 싹둑 자른 단발머리, 눈꼬리가 처진 것도 언니와 닮았다. 여자는 기이하다는 듯 웃었다. 언니를 못 본 지 꼭 오 년이 되었다. 결혼한 언니는 신학 공부한 형부의 선교를 위해 필리핀으로 갔다. 언니는 엄마와 나 사이에 벌어진 것들을 이해할 수 없다고 했다. 이해한다거나 공감한다는 말이 언니의 머릿속에는 입력돼 있지 않은 듯 나는 언니에게서 한 번도 그런 말을 들어보지 못했다. 그것 또한 언니다웠다.

백사장을 걷는데 발바닥이 뜨거워 자주 발을 떼며 걸었다.

뜨거운 모래 때문에 오랜 시간 제자리에 서 있지 못하는 것처럼 나도 나 자신과 자주 협상을 했다. 그때의 여름은 우리 모두가 동시에 꾼 한낮의 꿈이었다고, 눈을 뜨면 꿈은 스러질 것이라고, 그러나 아직도 끝에 도달하지 못한 꿈에서 빨리 깨어나기를 갈망했다.

"엄마, 집으로 돌아가지 말고 아주 이곳에서 살래요?"

"미쳤니? 누구 좋으라고. 네 옆에 붙어 있을 거야, 끝까지."

"내가 그렇게 좋아?"

"너무 좋다. 왜?"

나는 엄마의 엄청난 거짓말에 웃음이 나왔다. 나와 엄마가 나누는 말은 언제나 농인지 진담인지 모를 경계에 있었다. 왜냐하면 엄마와 나 사이에서 벌어진 일들도 사실인지 거짓인지 모르게 시작됐기 때문이었다.

윤헤어에서 소동이 벌어진 반 년 뒤, 윤헤어에서 여자의 반지가 여자네 문갑 밑에서 발견됐다는 말을 듣게 되었다. 그전에 발견됐지만 엄마에게 쉬쉬했는지 모를 일이었다. 엄마는 그 산동네를 떠나지 않았다. 그렇다고 그들과 소통도 하지 않았다. '그것 봐, 내 말이 진실이었잖아.' 그런 생각을 하는 듯한 얼굴로 그들을 바라볼 뿐이었다.

엄마는 속살이 비치는 얇은 시스루 블라우스를 입고 바닷물로 들어갔다. 편안해 보였다. 앞으로 보름 동안은 엄마가 나에게 연거푸 전화하는 일은 없을 것이다.

고속도로는 여전히 밀렸다. 수업에 늦지 않으려면 서둘러 돌아가야 했다. 중고등학생 회원은 내 시간대에 맞춰 수업할 수 없었다. 학원에 가지 않는 주말 오후 시간을 수업으로 잡았다. 그들에게 내가 끌려 다닌다는 걸 그들도 눈치 챘을 것이다. 휴대전화 벨이 울렸다. 팀장이었다. 월말 미팅 때문일 거라고 짐작했다. 나는 전화를 받는 대신 가방 깊숙이 밀어 넣고 셀 수 없이 차선을 변경하며 고속도로를 달렸다.

관(棺)

망치 소리가 세 번은 길고 두 번은 짧게 들렸다. 섶과 마구리를 연결하는 아버지의 망치 소리일 것이다. 짙은 안개 속에 망치 소리를 따라가 집 앞에 섰지만 집을 찾았다는 안도감은 요란한 망치 소리 앞에서 뭉개져 내렸다. 소래포구 쪽에서 시작된 안개가 엷어지자 유리문에 붙은 '포구 장의사 관 제작'이란 붉은 글씨가 나타났다. 아래는 합판이고 위는 졸대목으로 삼등분해 유리를 끼운 문이었다. 허접한 것은 칠 년 전과 변함없어 보였다. 나는 낯설게 보이는 문을 쉬 열지 못하고 바라보았다. 햇살이 퍼지기 전이지만 한여름의 습한 열기로 땀은 목덜미를 타고 흘렀다.

'왕래하지 않던 일곱 해 동안 포구 주변이 신시가지로 변하다니.'

그보다 집 주변만은 가위로 오려낸 듯 옛 모습 그대로인 것이 더 놀라웠다. 상미를 주검으로 만들었던 집 앞 도로는 새로 뚫린 대로에 밀려 막다른 골목길로 전락해 버린 듯 보였다. 미닫이 유리문을 힘줘 밀었다. 레일이 마모되어 쇳소리만 요란할 뿐 빽빽했다. 실내에서는 비릿한 녹 냄새가 진동했다. 부식한 철제 책상에서 나는 냄새인 듯 했다. 심하게 칠이 벗겨진 흑판에는 언제 썼는지 모를 메모가 읽을 수도 없이 뭉개져 흘러내렸다. 통풍되지 않아 퀴퀴한 냄새로 가득한 안채는 망치 소리뿐 적막했다. 뒤주 옆에 널브러진 소주병을 보자 억눌려 있던 기억이 헬륨 가스를 주입한 풍선처럼 솟아올랐다. 밥상이 날아가고 쇠꼬챙이가 박힌 지팡이로 간장과 고추장 항아리를 깨부수던 술 취한 아버지의 잔영은 내 기억에서 지금껏 지워지지 않았다.

냉장고 안에는 플라스틱 용기 서너 개가 푸른 불빛 아래 긴 잠을 자듯 널브러져 있었다. 불빛이 사라지니 다시 동굴 속 같았다. 물을 들이켰다. 찬물이 닿자 앞니가 시렸다. 어젯밤 노래방에서 또 부장 목덜미를 후려쳤다.

"미친개는 매가 약이야."

동료들이 제압할 때 고꾸라지며 탁자에 부딪친 앞니의 통증이 어젯밤 기억을 모조리 끌고 왔다.

"매번 무슨 짓이야, 인마!"

부장은 내 빰을 갈겼다. 나에게 술에 취할 때마다 싸움을 걸고 매 맞을 일을 만드는 걸 보면 다분히 자학적이라고 한 부장의 말이 억울하지 만은 않다는 것이 더 고통스러웠다.

불을 켜자 바퀴벌레가 침침한 어둠과 함께 쏜살같이 사라졌다. 형광등 안정기가 고장 났는지 낡은 램프 양쪽이 불그스름한 색을 띠었다. '축, 발전'이라 쓰인 얼룩진 거울 속에 입술이 터진 남자가 서 있었다. 불빛 때문인지 술 때문인지 남자의 얼굴이 붉은 연시처럼 곧 뭉개질 듯 보였다.

지난밤 미로를 빠져나오듯 포구와 잇닿은 집으로 가는 길을 긴 시간 찾아 헤맸다. 집으로 통하는 길은 어디에도 없었다. 다만 십자가처럼 길고 곧게 누운 사거리에서 어디로 가야할지 긴 시간을 망설였다. 끝없이 올라간 아파트는 이방인처럼 방향을 잃은 나를 내려다볼 뿐이었다.

벽시계의 시침이 다섯 시를 가리켰다. 불빛은 마루와 연결된 토광까지 얼비쳤다. 어머니 눈물 같은 젓국을 담은 더께 낀 대여섯 개의 새우젓 드럼통이 보였다. 드럼통마다 어머니의 비루한 삶이 소금에 절어 새우젓과 함께 삭아 있을 것이 뻔했다. 여러 마리의 쉬파리가 드럼통 위에서 날아다니다가 드럼통에 다시 앉았다. 쉬파리를 쫓으며 호객하던 어머니가 떠올랐다. 어머니는 쪼그리고 앉을 수만 있다면 지금도 포구 철다리 앞에서 새우젓을 팔 것이다.

"몸이 좋지가 않아."

어머니는 내게 덤덤한 목소리로 빵빵하게 복수가 차올라 더는 포구에 나가지 못한다는 사실을 알렸다.

"전화하면 바로 와 줄 거지? 약속해라."

어머니와 연락을 한 뒤 한 달도 채 지나지 않은 어젯밤, 하필 노래방 바닥에 쓰러져 터진 입에서 흐른 피가 귓속으로 흘러들 때 어머니에게서 전화가 왔다.

"내일 올 수 있니? 꼭 왔으면 좋겠다."

역시 높낮이 없는 음성이었지만 간곡했다.

"일곱 해 동안 안 보고 살았는데 왜 꼭 내일입니까?"

나는 화를 내고 있었다. 꼭 술기운 때문만은 아니었다. 관(棺) 공장이 있는 어머니 집 언저리에서 도망친 지 오래지만 어느새 내 의식은 부메랑처럼 그곳에 돌아가 있는 것이 화가 난 것이다.

어젯밤도 내가 부린 난동으로 이차 회식 자리는 언짢게 끝나버렸다.

'나를 씹고 있겠지.'

이런 상상을 하는 것은 아버지가 하는 일을 알게 된 친구들에게 따돌림 당한 후 생긴 버릇이었다. 상상이 때로는 직접 본 듯해 술기운을 빌려 난동을 부렸다. 직원들이 사라진 노래방 기기의 화면 속에서는 디스코 메들리 반주에 맞춰 이름을 알 수 없는 가수가 팔다리를 휘저으며 입을 뻥끗거렸다. 바닥에 누워 천장에 매달린 미러볼이 내쏘는 색색의 불빛을 바라보았다. 색색의 불빛이 나를 바닥에 결박한 듯 꼼짝할 수 없게 만들었다.

'언제나 이런 식이었어. 혼자 남아 목구멍이 따갑게 외로움을 견디는 일, 매번 익숙해지지 않는 이유는 뭘까?'

늘 처음처럼 외롭고 무서워 컹컹 짐승 소리를 냈다.

신음 소리는 분명 어머니의 것이었다. 어머니는 세워 놓은 베개에 등을 기대고 앉아 있다가 갑자기 환해진 불빛 때문에 미간을 찌푸렸다. 불면의 시간을 견뎌낸 듯 괴로워 보였다. 아버지가 빠져나간 흔적이 없는 것으로 보아 어머니를 홀로 놓아두고 아버지는 관 공장 간이 침상에서 웅숭그리고 밤을 보냈으리라 짐작이 갔다. 방바닥에는 약봉지, 빈 요구르트병과 휴지 조각들이 널브러져 있었다.

"이 지경이 되도록 아버지는 뭐했답니까?"

"어떻게 새벽부터 왔어?"

어머니는 눈을 뜨고도 아슴아슴한지 한참을 바라보았다. 어머니를 생각했다면 어젯밤 집으로 왔어야 했다. 술기운이 사그라들기 시작하면서 회사에서의 입지 걱정이 수면으로 떠올랐다. 그 기분으로 아버지와 맞닥뜨리기 싫었다. 아버지와 대면하면 치솟는 악감정으로 언성이 높아질 테고, 그날 밤에 서울로 되돌아갔을 것이다. 차마 어머니에게 못 할 노릇이란 생각 때문에 집을 찾아 헤매다 포장마차에서 날이 밝기를 기다린 것이다.

"전화로는 늘 괜찮다더니, 이게 괜찮은 겁니까?"

"입술은 어쩌다 터졌니?"

어머니는 눈곱 낀 눈이 침침한지 여러 번 슴벅거리다 바람소리같이 한마디씩 뱉어 냈다. 깡마른 체구에 복수 찬 배와 가슴이 벌떡거렸다. 금방 터져 내장이 삐져나올 것 같은 팽팽한 배를 보니 내 배가 곧 터질 것 같다는 착각에 사로잡혔다.

"그런 몸으로 아무렇지 않다니요?"

"아픈 건 견딜 만한데 밤이나 짧았으면 좋겠구나."

"병원에 갑시다. 죽기로 작정한 게 아니라면."

어머니도 나처럼 길고 고통스러운 밤이 아직도 익숙하지 않아 보여 무심했던 지난날에 대한 자책이 밀려왔다.

"보고 싶었다. 회사는 어쩌고?"

휴가라는 내 대답에 안심하는 듯 고개를 끄덕였다. 휴가라고 했지만 사실 회사에서 다시 부를지도, 내 자리가 남아 있을지도 명확하지 않았다. 어머니가 숨을 헐떡일 때마다 내 가슴에 가래가 가득 찬 듯 갑갑했다.

"새우젓, 남은 새우젓 말이다. 팔아 치워야 하는데. 이제 새우젓 팔러 나가긴 틀린 거 같어."

"이런 상황에 고작 새우젓 걱정입니까? 새우젓 팔아 떼돈 벌어 이렇게 살아요?"

불현듯 내 가슴속에서 뜨거운 것이 치솟았다. 나는 처음으로 하고 싶은 말을 서슴없이 뱉어냈다. 터진 내 입술을 더듬는 어머니의 손을 어머니 가슴 위로 끌어내렸다. 음울히 누워 있는 어머니의 눈은 많은 말을 하고 있었다.

"꿈속에서 너를 자주 만났어. 꿈 말고 이렇게 보는 것이 내 꿈이었다. 나가서 아버지께 인사해라."

남들에게는 시시한 것을 어머니는 꿈으로 소망했다고 생각하니 똑바로 쳐다볼 수가 없어 눈길을 떨구었다. 어머니는 아직도 아버지에게 의지하는 듯 했다.

뭔가 더 얘기하고 싶었지만 숨을 헐떡이는 어머니를 위해 입을 닫았다. 전화로 아무 일 없다 해 놓고 저 지경인 것이 미치도록 화가 났다. 사실 내가 화난 것은 그뿐이 아니었다.

무엇을 잘못했는지도 모른 채 아버지에게 당한 혼찌검은 어머니와 나에게는 수모였다. 그 수모를 모면하기 위해 이곳을 떠났지만 나는 어머니의 삶과 크게 다르지 않다는 것에 자괴감이 들었다. 나는 오랜 세월 화살촉처럼 뾰족해진 마음을 애꿎은 어머니에게 드러내는 비겁한 인간이었다. 눈을 감은 채 미동 없이 누워 있는 어머니의 누런 얼굴에 파리가 내려앉았다 날아가기를 반복했다. 휴지로 어머니 얼굴에 맺힌 땀을 닦고 손등으로 얼굴을 쓸어내렸다. 어머니의 얼굴은 차디찼다. 중학교 때 아버지가 강제로 염습을 시킬 때 느꼈던 시신의 감촉 같았다. 머리가 아팠다. 답답해 방을 나와 마루에 벌렁 누웠다.

B형 간염을 제때 치료하지 않아 얻게 된 간경화였다. 차라리 난치병이었다면 슬프기만 했을 터였다. 하루에 알약 몇 알만 복용하면 곧 완치가 될 병을 이 지경으로 악화시켜 얻은 간경화라니, 나는 아버지를 핑계 삼았지만 어머니를 방치한 것은 나 역시 아버지와 한 치도 다르지 않았다.

관 뚜껑을 덮는 망치 소리가 공장 쪽에서 연이어 들렸다. 주문량이 많아 어쩔 수 없는 새벽 작업도 아닌 듯했다. 희부연 안개가 채 사라지기도 전인 새벽부터 아니, 날밤을 새워 들렸을 망치 소리를 어머니는 어떻게 생각했을까. 어머니는 통화로 중국산과 달리 수작업을 고집하는 아버지의 관은 가격 경쟁에서 처져 주문이 거의 끊겼다고 했다. 뱃사람들 중에 연고가 없는 주검은 거저 염하고 입관해 준다고 어머니는 남 말하듯 말했다. 그러니 아버지에게 관 짜는 일은 이미 돈벌이는 아니었다. 유희쯤으로 생각하는 듯 보였다. 생각이 여기까지 흐르니 새벽의 망치질은 어머니에게 내가 온다는 소식을 듣고 고의로 생채기를 건드리려는 행패일 수도 있다는 생각까지 들었다.

집은 학교 가는 길목에 있었다. 유리문에 붙은 '포구 장의사

관 제작'이란 붉은 간판을 하루에 천 번이라도 뜯어내 불사르고 싶었다. 단체로 영화관이나 소풍 갈 때 집 앞을 지나치는 것이 싫었다.

"감기인데요, 설사병이 났어요."

나는 증상도 없이 병원을 들랑거렸다. 대열에서 이탈하여 선생님께 매를 맞는 편을 선택했고 그것은 자학에 가까웠다. 아이들은 늘 주변에서 죽음과 우리 집을 연결시켰다.

"너희 집은 사람 죽으면 좋아하지? 돈 버니까."

"오다 보니 오토바이 사고 났던데, 네 아버지 돈 벌 일 생겨 좋겠네."

"포구에서 네 아버지가 송장 주무르더라. 죽은 사람 집 만들어 주니 귀신들이 좋아하겠다."

친구들은 분노로 이글거리는 내게 주먹을 날리고 귀신한테 편들어 달라고, 불러보라고 했다. 죽은 사람을 멀리하고 살아 있는 사람과 친하면 안 되느냐고 아버지에게 사정하고 싶었다. 그러나 아버지 앞에서 말은 목구멍을 통과하지 못하고 사라졌다.

차라리 배타는 아버지였다면 좋겠다고 생각한 날이 많았다. 차라리 태풍을 만난 아버지 배가 무사히 돌아오도록 밤 세워 해신을 향해 기도하는 고통스러운 시간을 택하고 싶었다. 무사귀항 후 서로 끌어안고 안도의 숨결을 나누는 어부였기를 간절히 바랐다.

밖은 고요하다 못해 음습했다. 순간 들리는 망치 소리가 고요함을 갈라놓았다. 삼십여 평 남짓한 관 공장에서 불빛이 새어 나왔다. 문틈으로 세 짝의 관이 일렬로 누워 있는 게 보였다. 아버지는 바로 옆 아카시아 나무 밑동으로 만든 통나무 의자에 앉아 있었다. 할아버지 때부터 무게를 견디고 버텨 낸 의자였다.

반 뼘 크기의 신발을 신을 무렵에는 공장이라 불리는 이곳이 얼마나 대단해 보였는지 모른다. 대패와 끌, 망치 같은 연장들이 굴러다니고 안방보다 몇 배 큰 공간에서 그것들을 자유자재로 다루는 할아버지가 대단해 보였다. 그때는 할아버지 손을 거치지 않은 장례는 없을 정도였다.

"할아버지 손, 무서워."

잡힌 손을 놓칠 때마다 할아버지는 넉넉한 웃음으로 나를 안심시켰다.

"녀석, 느도 어른 돼 보면 알겨. 죽는 날이 있어 누구나 사는 것이 바쁜겨."

내 유년기에 놀이터였던 할아버지 생전의 관 공장은 할아버지가 돌아가신 뒤로, 넘을 수 없는 가시 울타리 속 아버지의 세상이 되었다.

상미와 나는 아버지가 공장을 비울 때면 관에 누워 놀다가 잠들곤 했다. 관이라는 직사각형 상자가 무슨 용도에 쓰이는지 그땐 몰랐다. 놀이만이 전부이던 어린 시절 관은 상미와 내게 좋은 놀이터였다.

문을 밀고 들어갔다. 아버지가 한껏 빨아 댄 담배 끝이 붉었다. 빈 소주병이 나뒹굴고 널빤지 위에는 몇 조각 남은 김치 그릇과 잔이 있었다. 아버지는 내 발에 머물던 시선을 옮겨 얼굴을 올려다보았다. 낮은 조명 아래 드러난 불콰한 얼굴엔 세월의 주름만 더해졌을 뿐 할기족족한 눈은 여전했다. 아버지의 눈과 마주치자 역할 없이 서 있는 배우처럼 겸연쩍고 주눅 들어 눈을 피했다.

어버지는 어린 나에게 대답하면 말대꾸하느냐 대답 없으면 무시하느냐며 지팡이 끝에 붙은 쇠꼬챙이를 눈앞에 들이댔다. 연고가 없는 주검에 대해 연락 받은 날, 아버지는 관을 운반하고 중학생인 내 손을 빌려 염을 했다. 나는 누워 있는 시신을 만지는 것이 세상 어떤 맹수와 마주한 것보다 더 두려웠다.

"이 자식, 고귀한 척하긴. 네놈까지 날 무시하는 거냐?"

아버지는 지팡이로 내 머리통을 내리쳤다.

"살아 있었구먼."

"여전하시네요."

"여전하구말구. 여기가 집보다 낫다. 내게 귀신이라도 달라붙은 겐지, 난 살아 있는 사람보다 죽은 사람이 더 편타. 오래 알고 지낸 사람 같고 친근해."

"죽은 사람을 챙기기 이전에 어머니를 돌보셨어야지요."

"상미도 죽고 나서 내 딸로 돌아 왔잖니. 지금이야 늙어서 불러주는 곳도 많지 않다만 장삿속이 아닌지 구분할 줄 아는 사람은 드물지만 날 부른다."

아버지는 여전히 묵염(墨染)을 입고 있었다. 어려서 본 모습처럼 충충하고 무서웠다. 한쪽 다리가 짧아 쇠꼬챙이가 박힌 지팡이를 짚고도 절룩거렸다.

아버지는 말보다 먼저 지팡이 끝을 어머니와 내 눈앞에 들이댔다. 날이 선 아버지의 눈도 함께 보였다. 뒷걸음치는 나와 상미를 밀치고 할아버지 관 공장으로 향하는 것이 술 취한 아버지 일상이었다.

"아버지가 상미 얘기를 어떻게 합니까. 관 공장에 붙은 집이 싫어 방 한 칸 따로 얻어 달라고 상미와 내가 무릎 꿇고 사정했던 기억을 잊지 않았다면 말입니다."

아버지는 내 말이 들리지 않는 사람처럼 담배를 깊게 빨았다.

"이따위들이 다 뭡니까, 이런 짓거리 안 하면 밥 못 먹는답니까? 숨 끊어진 놈들 뒷정리 한답시고 새끼는 손가락질에 학교도 버리고 숨어들게 합니까?"

술에 절어 할아버지께 행패를 부리던 아버지의 모습이 떠올랐다. 아버지는 관 공장 문을 박살내듯 열었다 닫기를 반복했었다. 그러고는 며칠씩 가출을 일삼았다. 아버지의 주정에도 할아버지는 지금의 아버지처럼 못 듣는 척 대패질만 했다. 아버지는 매번 어머니 눈에 띄게 소금 창고 10m 반경 안으로 숨었다. 상미와 나는 아버지가 없는 동안 눈치 안 보고 놀 수 있다는 것 때문에 아버지의 가출이 반가웠다. 연장을 들고 관 주위를 돌다 관에 누워 잠들기도 하며 억압된 욕구를 충족하기 위해 바빴다.

며칠 만에 돌아온 아버지는 더 고약을 떨었다. 사람이 왔는데 쳐다보지 않고 무시하는 것이냐, 쳐다보면 억울해서 째려보느냐며 행패를 부렸다. 장화 신은 발로 저벅저벅 집 안을 돌며 때려 부쉈다. 그 무렵이었을 것이다. 할아버지가 대패질을 하다 쓰러진 것이. 결국 자신이 짜 놓은 관에 주정뱅이 아들 손을 빌려 염을 받았다. 비워 둔 관 공장에서 아버지의 망치 소리가 들린 건 일 년 뒤였다. 아버지의 고약은 여전했지만 순한 양처럼 아버지를 대하는 어머니를 이해할 수 없었다. 그 무렵 나에게는 어머니의 무조건적인 순종이 더 참을 수 없는 배신감으로 다가와 괴로웠다. 어머니가 새우젓을 담가 팔기 시작한 것도 그 무렵이었을 것이다. 어머니 옷은 언제나 젓국이 흘러 반질반질 했다. 상미는 까만 눈동자를 굴리며 내가 학교에서 돌아오기만 기다렸다. 상미가 죽은 후 나는 아버지와 일부러 떨어져 지내다가 아예 집을 떠난 것이 벌써 칠 년이 흘렀다.

"어머니가 저러고 있는데 관만 짜고 있으면 어떡합니까. 어쩌자고 저 지경으로 놔뒀습니까?"

"이놈이 이제 와서 어디 눈을 부라려?"

아버지는 쇠꼬챙이를 내 눈앞에 들이댔다.

"때려보시죠. 옛날처럼 머리통을 후려치지 그러십니까?"

이상하게 나는 눈물이 질금 나왔다. 술기운을 빌리지 않고 맨 정신으로 아버지 앞에서 눈을 부라리고 있었다. 정신은 더 또렷해지는데 몸은 떨고 있었다. 아버지는 천천히 지팡이를 거둬들였다.

"가끔 가서 복수 뺀다. 입원 안 하는 것도 느 엄마가 막무가내로 고집 부리니 도리가 없었든 게야."

아버지는 다시 망치를 집어 들고 지판(地板)과 천판(天板)을 연결하는 망치질을 했다. 작업용 목장갑도 없이 마디 굵은 손에 목설(木屑)이 하얗게 내려앉은 채였다. 내 말에는 이미 귀를 닫기로 작정한 사람 같았다. 화가 치밀어 돌아서려는데 아버지가 망치질을 멈추었다. 아버지는 한번은 꼭 말하고 떠나야 할 사람처럼 서둘러 말을 이어갔다.

"내 아버지가 장의사라는 것도, 관 짜는 일을 하는 것도 죽기보다 싫었다. 중학교 때 친구들의 수군거림과 따돌림이 싫어

학교를 그만두고 집으로 숨어들었지. 그 뒤 뭐든 아버지와 어깃장을 놓으며 살았다. 아버지는 그런 나를 없는 사람 취급했고, 평생 죽은 사람을 위해 집을 지었다. 아버지까지 날 무시하는 것이 억울해 더 발광을 했지. 관 짜는 데는 근처도 안 가겠다고 생각했다. 그런데 살아 보니 죽은 사람만큼은 나를 무시하지 않더라. 여섯 자 크기 집에 잠드는 건 있고 없고, 배우고 못 배우고 간에 차별이 읎어. 그래서 관 앞에 서면 발광하던 나 같은 잡놈도 풀이 꺾이더구나."

나는 아버지에게서 눈길을 돌렸지만 아버지 말처럼 귀신에게 덜미 잡힌 듯 자리를 뜨지 못했다.

"내 아버지는 사람이 죽으면 초종장례부터 잡다한 일까지 의식을 치루 듯 도맡아 했다. 염습을 하고 자신이 짠 관에 예를 갖춰 정성으로 입관을 했다. 아버지가 징글맞아 이 짓은 안 하겠다고 했지. 끝끝내 발광하는 나에게 아버지는 아무런 대꾸를 하지 않으셨어. 그럴수록 더 미친놈처럼 행패 부리고 아버지를 괴롭혔다. 아버지가 돌아가시고 어느 날부터인지 이곳에 들어서면 이상하게 맘이 편해지더라. 죽은 사람은 내 눈을 피하지도, 수군대지도, 무시하지도 않아. 숨통이 끊어진 사람 앞에서는 주눅 들지 않아 좋았다. 그때부터 팔자려니 했다. 상미도 죽어서야 내 손을 허락했잖니."

아버지는 독백처럼 중얼거렸다.

“왜 하필 내게 이런 말을 합니까?”

“누군가에게 꼭 말하고 싶었다. 그것이 너라면 더 좋겠다 싶었다.”

상미가 죽은 날도 아버지는 눈물 한 방울 흘리지 않고 장의사 역할을 충실히 해냈다. 상미가 학교에 입학했을 때 일이다.

“우리 식구가 귀신을 만난대. 귀신 옮기는 사람들 맞아? 그래서 애들이 나랑 안 논대.”

상미는 젖은 목소리로 내게 물었다. 상미가 웃어도, 울어도, 아이들은 귀신 들렸다고 놀려댔다. 나와 상미는 아버지가 그런 일만 안 한다면 행복할 수 있을 거라고 믿었다.

뭔가를 가득 실은 트럭이었다. 상미는 붉은 ‘포구 장의사 관 제작’이란 간판이 붙은 집으로 들락거리는 자신을 세상 사람들에게 들킬까봐 두려워했다. 나도 상미와 다르지 않았다. 등굣길이었다. 상미가 미닫이 유리문을 열고 머리만 내밀어 주변을 살폈다. 늘 하던 상미의 습관이었다.

“오빠, 친구들 안 와.”

상미는 엄지와 검지로 둥글게 원을 만들어 오케이 표시를 했다. 우리는 미닫이 유리문을 밀고 밖으로 나섰다.

“경애 온다.”

소리치는 내 소리를 듣고 상미는 경애를 피해 도로 반대편으로 뛰어들었다. 급브레이크 소리를 듣고서야 상미에게로 고개를 돌렸다. 트럭이 상미를 타고 넘은 뒤였다. 상미는 그 자리에서 즉사했다.

"어머니를 이제 와서 어쩌시렵니까? 아버지도 세상으로부터 숨고 싶었나요? 그럼 자식들을 왜 이해하지 못하고 모질게 대했습니까? 차라리 살림집이라도 따로 얻어 주었다면 상미는 죽지 않았을 겁니다."

나는 아버지가 피워 올린 담배 연기가 사그라지는 것을 망연히 바라봤다. 공장은 삼십 평 남짓 철재 골조에 보온 담요를 씌우고 비닐과 그늘 막을 씌워 안채에 잇닿아 지은 무허가 창고였다. 훅 달아오르는 팔월의 열기에 선풍기 바람까지도 후끈했다.

상미의 주검 앞에서 주변 사람들은 가해자 구속 여부와 보상금에 관해 관심을 보였다.

"애비가 염하고 관 짜는 놈인데 얼어 죽을 무슨 보상금이여."

아버지는 몸으로 때우겠다는 트럭 운전사 말을 일축했다.

"쌍방 잘못이여. 이미 죽은 사람은 그 나라에 맡기고, 산 놈은 벌어야 먹고 사니께 일하슈."

아버지는 상미가 흘린 피를 알코올로 닦았다. 상미는 초등학교 이후 처음으로 아버지에게 몸을 맡겼다. 상미가 살아 있었다면 수많은 주검을 마주했던 아버지의 손을 허락하지 않았을 것이다.

길에서 죽임을 당한 짐승처럼 만신창이가 된 상미가 눈을 떠도 감아도 눈앞에서 아롱거렸다. 트럭을 보았더라면…… 상미를 부르지 않았더라면……. 아쉬운 자책으로 한동안 밥 먹는 것도, 잠자는 것도 불가능했다. 아버지는 망자를 염하고 돌아올 때처럼 상미를 화장하고 돌아오는 날도 또각또각 지팡이 소리를 내며 들어섰다. 그날 처음으로 모질게 굴던 아버지가 허룩한 깃털같이 가벼워 보였다.

나는 밖으로 나와 무작정 소래포구를 향해 걸었다. 물먹은 솜같이 몸도 마음도 무거웠다. 어디로 가야할지 잉여 인간이 된 듯 세상 어떤 일에도 쭈뼛거렸다. 사라질 것 같지 않던 안개는 자취를 감추고 거리는 폭염으로 정수리가 불에 덴 듯 뜨거웠다. 앞니가 또 시렸다. 변해 버린 길을 더듬어 포구 쪽으로 걸으니 장도 포대지 쪽에서 꽹과리, 장구, 태평소 소리가 어우러진 풍물 소리가 들려왔다. 늙은 버드나무 아래 사람들이 모여 있었다. '서해안 풍어제'라는 플래카드가 작열한 태양을 받아 곧 녹아들 것처럼 축 처져 매달려 있었다. 서해안 풍어제는 어려서도 여러 번 봐 내겐 익숙했다. 풍어제가 있는 날이면 상미와 나는 떡과 과일을 얻어먹었다. 거대한 자연과 맞서 만선을 이루고 안전하게 귀항하기를 기원하는 무당의 춤과 소리는 왠지 처량하고 슬펐다. 바다가 삶의 터전인 어부, 삶에 대한 선택의 여지가 없는 그들이 해신을 달래며 두려움을 떨치기 위한 자기 최면의 방편이 풍어제일 것이라 생각했다. 무당은 작

두 위에 올라 겅중겅중 뛰며 춤을 추었다.

상미는 바닷물이 밀려 나간 자리에 널려 있던 고넌조개와 참게를 주워 담다 발바닥이 조개껍데기에 베여 피가 흐르는 것도 아랑곳 않고 억척을 부렸었다.

또 상미 생각으로 머릿속이 통통배 주변을 기웃대는 갈매기처럼 시끄러워졌다. 상미 영혼의 안녕을 기원하며 무당의 향연을 뒤로하고 돌아섰다.

간밤에 집을 찾아 헤매다 들어갔던 포장마차는 아가리를 오므린 채였다. 아직 대부분의 가게가 영업 전이지만 24시간이라는 간판 아래 손님이 꽤 앉아 있는 조개 구이 집으로 들어갔다. 소주를 비울수록 아프던 앓니가 마취된 듯 무뎌지고 정신은 까무룩 몽롱해졌다. 동료 누구도 연락하는 이가 없었다. 조개 타는 연기가 식탁마다 자욱이 피어올랐다. 연기 때문인지 눈물이 흘러내렸다. 입사 후 처음 가진 휴가였다. 더 정확히 말하면 근신 기간인 것이다. 부장의 목덜미를 후려쳤던 날, 과장이 근신을 명령했다고 해도 결근한다는 건 불가능했다. 어머니의 전화와 요행히 맞아 떨어지지 않았다면 매번 하는 것처럼 출근해서 빌고 만회하기 위해 휴일을 반납했을 것이다. 주말도 없이 출근해도, 너 없으면 회사 문 닫느냐며 동료들은 비아냥댔다. 회식 후 술에 취해 시비 걸고 주먹다짐한 것이 벌써 몇 차례인가. 얼마 전, 회식 자리에서 나와 눈이 마주친 김 과장에게 나는 주먹을 날렸다. 무슨 말이 오갔는지 기억나지 않지만 날 쫓아낼 궁리를 하고 있느냐 소리치며 달려들었다고 했다. 한심하게 쳐다보는 동료들을 마주할 염치도 더는 없었다.

소주 두 병을 비우자 취기가 올랐다. 복수 찬 어머니의 배가 뻥 터져 허공에 내장이 흩어졌다. 갑자기 부장과 과장, 동료들까지 나에게 달려들었다. 나는 벌떡 일어나 조개 구이 탁자를 힘주어 그러잡다 말고 머리를 흔들었다. 또 탁자를 그들에게 밀치려 들다니. 황급히 포구로 발을 옮겼다.

어머니가 새우젓을 팔던 소래포구 폐철길은 그대로였다. 술 취한 아버지를 피해 포구 쪽으로 돌아간 그곳에 앞섶이 젓국으로 반질반질한 옷을 입고 새우젓 토기 그릇 앞에 쪼그리고 새우젓을 팔던 어머니가 앉아 있었다. 지나쳐 버리지도, 돌아서지도 못하고 숨어 어머니를 지켜보았다. 새우젓은 펄펄 뛰는 생새우를 받아 외발 리어카에 싣고 와 밤을 새워 잡어를 골라 어머니가 직접 담근 것이었다. 어머니는 노랗게 삭은 육젓과 추젓을 앞에 놓고 도시에서 온 사람들에게 호객을 했다. 잘 팔릴 리 없지만 몸이 아파도 하루도 거르지 않고 그 자리를 지켰다. 자리를 빼앗길 수도 있다는 것이 이유였다.

나는 휴대전화를 열었다. 회사에서 온 전화는 한 통도 없었다.

숱이 확 깨는 느낌이었다. 제품 개발에 따른 내수 소비가 늘면서 이 년 후에 입사한 후배가 나보다 먼저 과장으로 진급했다.

"후배 밑으로 들어가 내수를 함께 맡지. 해외 업무는 활성화될 때까지 내가 맡을게."

해외 업무 부장까지 공공연히 수출 업무를 무력하게 만들었다. 해외 영업 수지가 회사 손익에 큰 비중을 차지했던 지난 사 년 동안 주말은 물론 공휴일에도 출근 도장을 찍었다. 동료들은 워커홀릭이라 했다. 내가 회사를 위해 할 수 있는 일은 뭐든 시간과 노력을 아끼지 않았다. 머리는 온통 회사 일로 가득 찼다. 회사라는 거대한 관 속에서 스스로 뚜껑을 닫고 갇히기를 원했다. 그것은 진급을 위해서라기보다 제도에 속해서 혼자가 아니기를 바랄 뿐이었다. 그러나 비뚤어진 행동 때문에 나에게 말 걸어 주는 사람도 없었다. 그렇다고 너스레 떨 위인도 못 되었다. 요즘 해외 수출이 답보 상태로 이어지면서 꿈꾸는 횟수가 늘어났다. 언제나 같은 꿈이었다. 친구나 동료들이 손을 잡고 원을 만들어 그 안에 나를 가두고 조롱하며 나를 향해 좁혀 들어오는 꿈이었다.

폐철길 가에서 새우젓을 앞에 놓고 앉아 있는 어머니를 피해 걸음을 재촉해 그곳을 빠져나왔다. 어머니의 눈이 내가 멀어질 때까지 따라왔다. 나는 뒤돌아보지 않고 걸음을 재촉했다.

'어머니 미안합니다.'

나는 급기야 뛰기 시작했다. 한참을 뛰다 힘주어 고개를 흔들었다. 집에 누워 있는 어머니를 떠올렸다. 술 때문이란 생각이 들었다. 포구를 벗어나기 전 어머니를 위해 전복을 샀다. 전복은 검은 비닐봉지 속에서 꼼지락거리며 살아있다는 신호를 보냈다. 신도시의 곧은 도로를 따라 걷는 동안 지열과 달리는 자동차 열기가 더해져 숨이 막혔다. 술기운까지 올라 땀으로 뒤범벅이 되었다. 쫓기는 사람처럼 걸음이 빨라졌다. 새우젓 팔아 떼돈 벌었느냐고 뱉었던 성깔 섞인 내 말이 귓속에 박혀 윙윙거렸다.

어머니는 젓국이 묻어 비릿한 돈을 젖은 물수건으로 닦아 아침이면 나와 상미가 내민 손바닥에 올려 주었다. 덕분에 아버지에게 구차한 말을 안 해도 된다는 것이 돈에서 풍기는 비척지근함도 참게 했다. 그런 어머니에게 비난과 질책 외에 무엇을 했던가, 마음이 먹먹해 걸음을 재촉했다.

셔츠를 벗어 마루에 던졌다. 아직 한낮인데 마루는 침침하고 음울했다. 포구를 쏘다니다 마신 술 때문에 몸이 달아올랐다. 안방 문은 나갈 때와 달리 반쯤 열려 있었다. 아버지가 몇 차례 들락거렸을 것이다. 숨소리 하나 들리지 않는 적요를 뚫고 땅땅 땅 망치 소리가 들렸다. 나는 아버지가 관에 쇠못을 박지 않는다는 것을 알고 있었다. 망치 소리는 끌로 정교하게 연결 홈을 파 끼워 맞추는 과정에서 나는 소리였다. 아버지는 가슴에 못 하나 박지 않은 죽음이 어디 있겠느냐고 했다. 죽은 사람에게 나까지 쇠못을 박은 집을 지어줄 수 없다고 했다. 굳이 쇠못을 박지 않는 이유가 그런 거라면 나는 아버지가 오판한 것이라고 생각했다. 내 가슴에 박힌 가장 굵은 못은 아버지가 박아놓은 것이니까 말이다.

방문을 밀었다. 여전히 어머니는 베개를 등에 대고 비스듬히 누워 있었다. 더위 때문인지 물 풍선처럼 부푼 배를 내놓고 속옷이 불두덩까지 내려와 있었다. 가슴과 배가 벌떡대지 않았다. 어머니는 숨을 토하지 못한 지 오래된 듯 목각상처럼 검게 변해 있었다. 요구르트 빈 병 주둥이 주변에 앉아 있던 파리가 어머니 얼굴로 옮겨 앉았다. 나는 열이 오르고 정신이 가뭇없이 가라앉았다. 검게 변한 어머니 얼굴에 떨리는 손을 댔다. 손바닥에 찬 기운이 끼쳤다. 나는 싸늘해진 주검이 소름끼쳐 주저앉고 말았다. 오늘 주검으로 변할 사람이 아침까지 괜찮다며 새우젓 팔 걱정과 함께 아버지가 불쌍하다고 했던가. 아프다고 칭얼거리지 않은 독한 어머니 옆에서 나는 집을 찾지 못한 어린 짐승처럼 꺼억거렸다.

땅 땅 땅.

다시 아버지의 망치 소리가 들렸다.

아버지는 울지 않았다. 대신 소주를 한잔 입에 털어 넣고 일어섰다.

“너를 봤으니 됐다 싶었나 보구먼. 느 어머니 나 만나 고생 많았다. 내 생전 최고의 집을 만들어 주고 싶었다. 내가 관쟁인데 느 엄마 집을 다른 이에게 맡길 순 없는 일이잖으냐? 저것이 느 엄마 집이다. 상도(上塗)만도 여섯 번이나 반복했다. 쇠못을 쓰지 않고 은혈못을 사용했구.”

아버지가 래커 칠한 백관(百棺)을 가리켰다. 백관은 공정이 까다로워 거의 보지 못했다.

“관에 정성 들이기 전에 어머니를 따뜻하게 좀 돌봐 드리지 그랬습니까?”

“칠십 년 이상 된 장목(壯木)의 적송을 썼다. 수액이 빠진 추동기에 적송을 사야 건조도 빠르고 질 좋은 관을 만들 수 있지. 백관(百棺)은 느 엄마와 닮았어. 은근하고 깊은 것이 꼭 닮았어.”

“뭔 딴 소립니까? 어머니에게 관 짜는 정성 반만 들였어도 이 지경은 안됐을 겁니다.”

나는 언성을 높여 억지를 부리고 있었다. 내 자신이 괴물 같다는 생각을 하면서 점점 괴이한 생각으로 가득 찼다. 이 지경으로 여기까지 오게 된 이유가 뭐냐고 스스로에게 대답 없는 질문을 했다.

“과거에도, 지금도 누구를 위해 짜는 관이 아니다. 최고의 관을 만들면 그것은 누구의 마지막 집이 되든 나하고는 상관없는 일이지. 관 짜는 동안이 중요한 것이란 말이다."

나는 백관 앞에 무릎이 꺾였다.

아버지와 나는 백관을 안방으로 옮겼다. 아버지는 망자가 된 어머니의 부종을 막기 위해 선풍기를 껐다. 방 안에 갇힌 열기와 냄새가 잠깐인데도 어머니 냄새처럼 익숙했다. 결국 어머니의 죽음으로 일곱 해만에 우리 셋은 한 자리에 모이게 되었다. 닫았던 천판(天板)을 열자 방안에 적송 냄새가 진동했다. 아버지는 정성 들여 어머니 몸 구석구석을 닦았다. 굄으로 턱을 괴어 주고 벌어진 입을 다물게 했다. 아버지의 손이 가늘게 떨렸다. 마치 세월과의 작별처럼 보였다. 나는 부러 두 사람을 남겨 놓고 밖으로 나왔다.

관 공장 생나무 냄새가 훅 끼쳤다. 망치를 들었다. 망치를 든 손이 떨렸다. 아버지 뒤를 이을 생각은 눈곱만큼도 없었다. 그런데 나는 연거푸 관 뚜껑에 망치를 내리치고 있었다. 한참을 맥없이 앉아 있으려니 누워 있는 관은 세상에 대한 공포의 또 다른 이름이란 생각이 들었다. 죽은 사람은 적어도 나에게 눈길을 주지 않는다고, 그래서 산 사람보다 편하다고 아버지는 말했다. 아버지도 세상을 피해 구석진 관 공장에 숨어들었던 것이 분명했다.

오동나무로 만든 관이 보였다. 오동나무 관은 가볍고 단단하다고 할아버지는 말했다. 단단하다는 말에 힘을 주었다.

"너도 단단한 사람으로 자라라."

할아버지가 자주하던 말이었다. 긴 사각의 공간을 벌려 놓은 관에 누웠다. 이상하게 두려움 대신 안온감이 찾아왔다. 문득 상미가 생각났다. 두 손을 가슴에 포개고 눈을 감았다. 어느 결엔가 귀 속으로 뜨거운 것이 고였다. 어머니의 마지막 가는 길을 열어 주는 듯 풍어제 소리가 평화롭게 들렸다. 창을 비집고 들어온 여름 별이 관 위로 강렬하게 내려앉았다.

비보호 좌회전

검은 승용차가 그녀의 뒤를 따라온다는 증거는 어디에도 없었다. 그런데도 그녀는 룸미러와 사이드미러를 통해 뒤차의 색을 불안하게 쫓았다. 뒤에 따라오는 일련의 차들이 모두 그녀를 쫓아오는 듯 번뜩거렸다. 지나가는 반대 차선의 자동차 불빛도 섬뜩하게 느껴졌다. 그녀는 복사기가 훑고 지나갈 때의 불빛처럼 오가는 모든 차에게 복사 당하는 기분이 들었다. 그래서 도로에서 스쳐간 익명의 운전자에게 한 장의 종이에 적힌 표식처럼 남는 것은 아닌지 두려웠다.

그녀는 누구도 자신을 따라올 이유가 없다고 스스로를 다독였다. 그러나 따라오지 않는다는 확신도 없었다. 갓 스물을 넘겼을 녀석이 반말을 해대던 것도, 조금 늦게 비켜주었다는 이유로 화를 내는 것도 쉽게 일어날 수 있는 일이 아니었다. 차 번호라도 봐둘 걸 싶었지만 이미 늦은 뒤였다. 도로는 계속 정체하였고 그녀의 얼굴은 먹색으로 변해 갔다.

그녀가 남자를 발견한 것은 시끄러운 경적에 고개를 돌렸을 때였다. 남자는 갓 대학에 들어갔을 법한 앳된 얼굴에 비해 값이 꽤 나가는 검은색 승용차를 타고 있었다. 남자는 운전석 쪽 유리창을 내리고 상반신을 내밀어 그녀를 향해 소리를 내질렀다. 그녀는 생각이 많았고 갑작스러운 일이라 남자가 무슨 말을 하는지 알아듣지 못하고 멍했다. 그녀는 방향 지시등 소리보다 자신의 심장 박동 소리가 더 크게 들리는 걸 느끼며 남자의 차를 쳐다봤다. 남자는 그녀가 나온 길로 우회전을 하려는 듯 보였다. 도로는 공단에서 나오는 차와 고속도로를 타기 위한 차로 쌍방향 모두 정체가 심했다. 어스름이 찾아오기 시작한 도로의 차들은 전조등을 켜기 시작했다.

그녀는 언제나처럼 신호등이 없는 건널목 앞에서 비보호 좌회전을 위해 서 있었다. 신호등이 없지만 보행자 신호에 좌회전을 당연하게 여기는 곳이었다. 그녀 역시 늘 그랬다. 만약 이곳에서 우회전을 하고 2km 전방에서 유턴을 한다면 고속도로를 타기 위해 정체한 자동차들로 인해 한 시간은 더 도로에서 보내게 될 것이었다.

'빨리 빠져나가야 하는데.'

그녀는 남자의 채근이 있은 후로도 보행 신호에 맞춰 좌회전할 기회를 두 번이나 놓치자 안절부절못하고 중얼거렸다. 남자의 차를 의식해 우회전이라도 해 빠져나가려 했지만 양방향 모두 그녀의 차가 끼어 들 간격이 나지 않고 계속 꼬리를 물었다.

"약속한 시간이 넘어가고 있어. 승우는 어쩌지… 최 선생은 또 어쩌고…… 제기랄, 순전히 원장 때문이야. 못된 성깔하고는."

그녀는 핸들을 잡은 손에 힘을 주며 끝없이 중얼거리다 때마침 울린 휴대전화에 중얼거림을 멈췄다. 최 선생이었다.

"미안해요. 차가 막혀 꼼짝 못 하고 있어요."

"이렇게 약속을 안 지키시면 곤란하죠."

"20분 안으로 도착할 겁니다. 그때까지만 좀."

"야박하지만 20분 후에 승우 두고 갈 겁니다. 저도 엄마 때문에 어쩔 도리가 없다는 거 아시잖아요."

전화를 끊자 마음이 조급해졌다. 머릿속에서는 20분 후 혼자 남게 될 승우가 그려졌다. 승우가 깨지고 다치고 엉망이 돼 있을 만한 상황이 떠오른 터라 남자의 차가 언제 그녀 자동차 옆구리에 들이대고 있었는지 감지하지 못했다. 남자는 그녀와 눈이 마주치자 손가락을 치켜 올려 운전석 유리창에 대고 삿대질을 해댔다. 그녀는 불안한 마음에 고개를 돌려 보행 신호를 바라보았다. 보행 신호가 떨어진다 해도 그녀가 끼어들어 좌회전할 틈을 주지 않겠다고 작정한 듯 꼬리를 물었다. 그녀는 뻔히 도로 사정이 보이는데도 그녀를 향해 삿대질을 하는 남자의 지나친 행동을 의아하게 생각했다. 남자가 그녀에게 뭐라 할 만한 상황이 아니라고 생각했다. 순간 남자가 다시 상체를 내밀어 그녀에게 소리를 질렀다.

"차 빼요. 차를 빼야 내가 우회전하지."

그녀는 유리창을 스르르 내리고 심하게 뛰는 심장 쪽으로 손바닥을 몇 번 쳐 보이며 자신에게 하는 말인가를 되물었다. 남자는 흥분한 듯 보였다.

"왜 길을 막고 서 있는대, 여기 신호등 없는 것 몰라?"

그 뒤로도 여러 말을 했지만 그녀는 두렵고 의아해서 정신이 몽롱해졌다. 촘촘히 어둠이 내린 도로는 전조등 불빛이 화려했다.

"이봐요, 엄마 같은 사람한테 웬 반말이에요?"

그녀의 말이 끝나자마자 남자가 차에서 내려 그녀 차로 다가왔다. 운전석 유리창을 내리라는 듯 손끝을 까딱거렸다. 남자의 얼굴은 심하게 일그러져 있었다. 그녀는 유리창을 내리지 않을 수 없었다. 남자는 유리가 내려간 차 문틀에 팔을 반으로 접어 올리고 그녀 코앞에 얼굴을 디밀었다. 남자의 눈빛이 가늘게 떨리는 듯 보였다. 아니, 그녀의 불안한 마음 때문에 그렇게 보였는지 남자의 눈빛이 정말 떨렸는지 알 수 없는 일이었다.

"엄마 같은! 당신이 뭔데 내가 한 번도 부르지 못한 말을 입에 올려?"

남자의 모든 위압적인 행동은 그녀에게 알 수 없는 불안으로 다가왔다.

"아니, 반말을 하니까, 별 뜻 없이 그런 건데…… 미, 미안해요."

그녀는 남자의 서슬에 말끝을 흐렸다. 남자의 얼굴이 일그러지자 앳되어 보였던 조금 전과 다르게 나이를 짐작하기 어려웠다. 그녀는 자신이 왜 '엄마 같은'이란 말을 했는지 남자는 왜 그 말에 흥분하며 칼날 같은 눈빛을 보냈는지 알 수 없었다. 오늘은 모두 알 수 없는 일들만 일어난다는 불길한 생각이 들었다.

그녀에게 집은 가능한 한 늦게 나와 빨리 들어가야 한다는 강박감이 들게 하는 곳이었다. 늘 출퇴근길이 문제였다. 그런 이유로 그녀는 샛길과 지름길을 찾아다녔다. 출퇴근 시간을 줄일 요량으로 그녀가 찾아낸 길은 동네 안길로 통하는 신호등이 없는 삼거리였다. 이 길을 칠 년 넘게 오갔다. 평소처럼 정해진 시간에 병원 일을 끝내고 왔다면 최 선생과의 약속 시간에 딱 맞게 도착했을 것이다. 집에 도착해 아수라장이 된 집안 정리와 식사 준비를 끝내고 녹음기를 틀어 놓은 듯 같은 말을 수 없이 되풀이하는 승우를 영혼 없는 눈빛으로 바라보고 있을 시각이었지만 그녀는 여전히 도로에 있었다.

남자는 자신의 차로 돌아가면서도 한동안 그녀에게서 눈을 떼지 않았다. 그녀는 횡단보도의 녹색 점멸등을 쏘아보았다.

"제발 빨리 보내 줘. 20분이 지나가고 있어."

그녀는 누구에게랄 것도 없이 애원하고 있었다.

"합의금은 백만 원, 백만 원으로 합시다."

승우가 폭행했던 피해 아동 아버지의 중저음 소리가 자꾸 잇새에 낀 음식물처럼 그녀의 입속에 갇혀 중얼거리게 만들었다. 승우는 엘리베이터 안에서 만난 10살짜리 여자아이를 때려 얼굴에 상처를 냈다. 최 선생이 곁에 있었지만 순간이었고 승우는 때린 사람의 표정이 아니었다고 했다.

"엄마, 때린 거 아녜요. 같이 놀려고 했던 거예요. 내 손을 뿌리쳤어요."

승우는 생각과 행동이 따로 노는 아이였다. 그 날 승우는 아이와 함께 놀고 싶었던 마음과 달리 아이가 자신의 의사를 거부하자 너무도 자연스럽게 과격한 반응이 나왔던 것이다. 감정의 거름망을 거치지 않는 승우의 일상사 대부분은 평범한 아이였다면 일어나지 않을 수도 있는 사고의 연속이었다.

그녀는 1초가 10분처럼 느껴졌다. 횡단보도의 신호등에 점멸되는 숫자처럼 그녀에게도 승우에 관한 것들이 깜박거렸다. 생각들은 보행 신호를 보고 있는 동안 머릿속을 스치고 후비고 할퀴고 지나갔다. 그녀는 보행자 신호가 끝나기 전에 자동차 사이를 헤집고 겨우 좌회전을 해 도로에 섰다. 좌회전을 했지만 여전히 도로는 정체하여 꼼짝 못 했다.

"제기랄."

그녀는 자신도 모르게 욕이 튀어나왔다. 핸들을 잡은 손에 힘을 주며 무심코 곁눈질을 하던 그녀는 깜짝 놀랐다. 그녀가 빠져나온 곳으로 진즉에 우회전해 사라졌어야 마땅할 남자가 인도 위로 올라서 그녀의 차를 노려보고 있었다.

'저 남자는 왜 저러는 것일까?'

가슴이 덜컹 내려앉았다. 그녀의 머릿속에 모두 알 수 없는 일이란 생각이 문득 들었다. 순간 그녀의 차가 앞차를 따라 출발하는 동시에 그녀의 차에 시선이 머물렀던 남자가 서둘러 자신의 차에 올라타고 그녀처럼 좌회전을 하기 위해 섰다. 남자의 일그러진 얼굴을 보자 승우의 얼굴이 떠올라 그녀는 불안해졌다. 차는 계속 시속 10km로 가다 서다를 반복했다. 남자는 왜 우회전하지 않고 내 차를 바라보다 좌회전을 하려했을까. 원인을 알 수 없는 불안이 다시 몰려왔다.

그녀는 오늘 모든 일이 틀어진 까닭이 원장 때문이라고 생각했다. 원장이 성깔만 부리지 않았어도, 회식만 하지 않았어도 아무 일 없었을 거라고 생각했다. 충치 치료 받던 중년 사내가 얼굴을 덮은 소공포를 낚아채며 벌떡 일어나는 바람에 잇몸이 찔려 그의 입에서 피가 뚝뚝 떨어졌다. 박 간호사의 석션이 맘에 들지 않는다는 거였다. 그 남자는 불순물이 목구멍으로 넘어갔다고 소란을 피워댔다.

"야, 잘하지 못해? 김 선생으로 교체해."

간호사들에게 반말과 명령을 일삼는 원장이라 해도 갑자기 일어난 환자에게 주의의 말을 한마디 했더라면, 그런 뒤에 박 간호사에게도 주의를 주었더라면 박 간호사는 그토록 모멸감을 느끼지 않았을 것이다. 중간에 가운을 벗고 나가는 박 간호사를 그녀가 잡은 터라 원장이 단합을 핑계 삼아 회식을 운운할 때 거절할 수가 없었다. 그녀가 회식을 거절했더라면, 광고지가 덕지덕지 붙은 낡은 305호 현관문을 열고 정해진 시간에 들어갔더라면, 오늘도 아무 일 없는 날이었을 것이다. 남들 눈에 어떤 일이 일어났는지 관심 없는 그녀가 사는 빌라 305호는 어제처럼 평화롭게 보였을 것이다. 매일 똑같이 환자들의 침침한 입안을 들여다보는 것처럼 그녀의 집에서도 똑같은 일상을 보냈을 것이다.

"여보, 승우한테 좀 가 봐요. 최 선생 가셔야 해요. 가셔야 할 시간이 지났어요."

"갔으면 좋겠는데 술을 한잔했어. 미안해."

"또 술이에요?"

그녀는 술이 또 남편을 먹어 치웠다고 생각했다. 결정적인 도움을 받아야 할 때마다 남편은 술에 취해 있었다. 남편에게

술은 일상적인 언어 같은 것이었다. 가장 하기 쉽고 표현하기 쉬운 언어가 남편에게는 술이었다. 그녀의 남편은 술이 들어가야 말을 하고 술이 올라야 살아 있는 사람 같았다. 그녀가 한 마디 더 하려고 입을 여는 순간 전화 너머에서 뚜뚜뚜 요란한 기계음만 들려왔다. 그녀는 남편에게는 상황을 회피할 핑계거리로 술이 있어 참 편하겠다고 생각했다. 남편은 언제나 똑같은 톤의 목소리를 냈다. 역정도, 욕망도 없는 듯한 단조로운 목소리로 같은 말을 되풀이했다.

"술 한잔했는데, 미안해. 운명은 타고난 대로 살아지는 것이야. 승우도 태어난 대로 살다 가는 거지 뭐. 있는 그대로 봐주면 잘 살 수 있을 거야."

말은 그렇게 해도 승우에게 남편은 관심도 애증도 심지어 측은지심도 없어 보였다. 남편은 그녀와 승우를 화분에 심은 재스민 정도로 생각하는 것 같았다. 술값을 내고 남은 월급을 생각날 때 화분에 물을 주듯 그녀에게 건넸다. 그녀가 따지고 들면 술이 있는 깊은 밤 속으로 피해 들어갔다. 어둠은 모든 것을 덮을 수 있지만 없던 것으로 만들 수는 없다는 걸 모르는 사람 같았다.

더 이상 남편은 전화를 받지 않았다. 그녀는 5분에 한 번꼴로 남편에게 전화를 했고, 최 선생은 5분에 한 번꼴로 그녀에게 전화를 했다. 남편은 그녀의 전화를 받지 않았고, 그녀 또한 최 선생의 전화를 받지 못했다. 그러다 그녀는 남편에게 전화하는 것을 포기했고, 최 선생도 그녀에게 전화하는 것을 포기했는지 한동안 잠잠했다. 그녀가 유턴을 해 계속 직진을 하고 있을 때 전화벨이 울렸다.

"저 집에 가야 해요. 제발 빨리 오세요. 엄마한테 가야 한다고요."

우연히 눈을 돌린 옆 차선의 까만 자동차 유리창이 스르르 내려가는 것과 전화기를 놓친 것은 동시에 일어난 일이었다. 아까 그 차였다. 그녀의 눈에 그 차로 보였다.

'도대체 왜 나를 쫓아오는 거야?'

그녀는 고개를 돌려 정면을 봤다. 앞으로 질주하는 검은 승용차가가 또 보였다. 검은 승용차는 사방에 있었다. 순간 그녀의 온몸이 뺑 터져 버릴 것만 같았다.

"여보세요. 여보세요. 승우 어머니."

운전석 바닥으로 떨어진 휴대전화에서 최 선생의 신경질적이고 절박한 목소리가 반복해 들려 왔다.

"이제 그만 죽어 줬으면 좋겠어요!"

최 선생의 목소리가 떨렸다.

"절대 고독이라고 아세요? 사실 친정 엄마가 집에 누워 있어요."

최 선생은 고해성사라도 하듯 그녀 앞에서 그동안 말하지 못했던 이야기들을 토해냈다.

"폐암 선고를 받고 병원에서는 길어야 육 개월이라고 했는데, 그래서 최선을 다하자고 마음먹었는데……."

최 선생의 친정엄마는 이 년째 누워있다고 했다.

"자식이라고는 달랑 나 하나예요. 육 개월이 지나면서 자꾸 화가 나기 시작했어요. 내면에 쌓이는 고독이 두려웠어요. '이제 그만 가 줘.' 엄마 눈을 바라보며 매일 아침 그렇게 말해요. 더 기막힌 것은 그런 나를 엄마는 하느님처럼 믿고 있어요. '네가 있어 다행이구나.' 그런 눈빛이 무서워요."

그녀는 그때 속에서 뜨거운 것이 치고 올라왔다. 승우를 향한 그녀의 마음을 들킨 것 같았다. 책임감을 동반한 절박한 고독이라고 했다. 최 선생은 죄의식이 더 커지기 전에, 더 지치기 전에 간병인에게 엄마를 맡기고 승우에게 오는 것이라 했다. 오늘도 최 선생은 학교에서 승우를 데려오고 승우의 고집에 못 견디고 지하철을 두 시간 동안 타고 배회했을 것이다.

"안아 주세요. 사랑한다고 말해 주세요."

앵무새처럼 같은 말을 수없이 반복하는 승우의 말을 들어야 했을 것이다. 매일 같은 것만 찾는 승우에게 미역국과 소시지에 저녁을 먹이고 승우도 없고 친정엄마도 없는 거리로 나갈 시간을 기다렸을 것이다. 그녀는 닻 없는 보트를 타고 제멋대로 흘러 다니듯 생각도 방향을 잃고 내달렸다.

그녀는 최 선생 전화가 잠잠해질 무렵, 밖을 내다보았다. 밖은 점점 어둠이 짙어졌다. 짙은 어둠 속으로 가로수도, 빛바랜 상가 간판도, 승우가 다니는 복지관도 빨려 들어가고 있었다. 차라리 그녀도 깊은 어둠 속으로 쭉 빨려 들어가 모두에게 지워지는 편이 더 괜찮겠다는 생각이 들었다. 도대체 어디서부터 잘못된 것인지 모를 일이었다. 신경질적인 원장으로부터인지 남자에게 난데없는 봉변을 당한 것부터인지 정돈되지 않은 생각이 질서 없이 튀어나왔다.

그녀는 원장의 신경질과 급한 성격 때문에 어림잡아 한 달에 한 번꼴로 간호사가 바뀌는 곳에서 여섯 해를 버텼다. 마흔두 살 간호사가 재취업하기는 쉽지 않을 터였다. 치사하지만 버텨야 했다. 그런 사실을 아는 원장의 억지를 그녀는 읽지 못한 듯 묵인해야 하는 것이 더 치욕이었다.

"성질이 급해서…… 미안해요. 김 선생이 이해해줘요."

미안하다는 말은 반나절을 못 넘기고 말장난으로 끝났다. 원장은 아침 식사를 못 먹고 나오면 신경질은 강도가 더 셌다. 간식이나 간단한 식사를 준비해야 하루가 덜 피곤했다.

"아직 신경이 무뎌질 나이는 아니잖아? 들어온 지 한 달도 못 채우고 나간다는 간호사들을 어떻게 못해요? 뭘 어떻게 배워 먹은 것인지."

원장이 일상적으로 내뱉는 말들은 수십 개의 바늘로 그녀의 가슴팍을 동시에 찌르는 것만 같았다.

갑자기 회식을 원한 원장을 향해 오늘은 곤란하다고 튀어나오려던 말을 목구멍으로 삼킨 이유가 있었다. 뛰어나가는 박 간호사를 잡은 일도 있었지만 매번 곤란하다고 말하는 자신 때문에 다른 간호사들이 마음 편히 회식 한 번 하지 못하는 것도 우스운 일이었다. 그녀는 식어서 그릇 가장자리에 고추기름이 엉겨 붙은 짬뽕 국물이 낮에 환자의 입에서 흐른 피 같아 소름이 돋았다.

"김 선생, 기분 풀자고 온 회식인데 표정 좀 풀지."

두 살 아래인 원장이 어설픈 웃음을 흘렸다. 그녀도 입꼬리를 끌어 올리며 박 간호사의 표정을 살폈다. 박 간호사와 김 간호사, 최 간호사는 아예 식탁으로 눈을 깔고 있었다. 먹는 것이 끝나고 어색한 시간이 흘렀다. 원장이 제일 못 참는 것이 어색함이었다. 언제나 어색한 상황을 신경질 부리는 것으로 모면했다. 진즉 일어났더라면 지금쯤 집에 있을 시각이란 생각이 들자 마음이 조급해졌다.

오늘도 원장은 두 명의 환자가 임플란트 수술을 받는 동안, 수술로 인한 피로감과 긴장감을 모조리 입을 통해 풀었다.

"미러를 좀 당기란 말야. 석션 똑바로 못해요?"

아주 간단한 주문도 원장은 짜증과 긴장감을 담아 말했다. 그때마다 그녀는 자괴감이 몰려왔다. 면접을 통과한 간호사는 인수인계 과정에서 그만두는 일이 많았다. 며칠 전에 뽑은 신입 간호사는 다음 날 나오지 않았다.

"무섭고 떨려서 하루 8시간을 어떻게 견뎌요."

'너는 참 좋겠다. 무섭고 떨리면 언제든지 마음대로 그만둘 수 있어서.'

그녀도 몇 번 원장에게 그만두겠다고 한 적이 있었다. 그럴 때마다 원장은 급한 성질을 죽이겠다며 그녀를 붙잡았다. 그렇게 여섯 해가 지났다. 이제 그만둘 수도 없는 그녀는 그만두겠다는 빈말도 할 수 없게 된 자신이 구차해서 몸서리쳐졌다.

원장 앞에 사표를 던지고 보란 듯이 나갈 날이 반드시 올 거라고 그녀는 생각했지만 그만두면 어디로 가야할지도 막막했다. 승우와 종일 입씨름을 벌이고 가끔은 진저리를 치기도 하다 결국 최 선생이 자신의 엄마에게 그랬던 것처럼 다시 승우를 다른 이에게 맡기고 이 병원 저 병원 기웃거리게 될 것 같아 그녀는 마음이 싸했다.

그녀는 한 시간 정도는 더 있어 주겠다는 최 선생의 허락을 받고 회식에 따라나섰지만 원장의 너스레가 길어질 줄은 몰랐다. 그녀는 바삭함은 사라지고 마치 애벌레처럼 엉겨 붙은 탕수육이 자신 같다고 느꼈다. 식은 짬뽕 국물 기름이 그릇 가장자리에 촛농처럼 굳어 있는 것을 바라보다 일어나기를 종용하듯 그녀는 만지작거리던 빨간 짬뽕 국물이 밴 나무젓가락을 분질렀다.

타아악.

소리가 나자 그녀 일행이 있던 칸막이 안에 깔린 침묵이 삽시간에 깨졌다. 8시 반이면 남들에게 초저녁이지만 그녀는 어둠이 고즈넉이 깔린 거리를 잊고 산 지 오래였다. 5분 뒤 원장은 그녀를 째려보고 휴대전화를 챙겨 자리에서 일어났다.

녹색의 보행 신호가 점멸하는 사이 그녀의 심장 박동 소리도 신호등 점멸 기계음처럼 크게 들렸다. 그녀는 엑셀을 밟으려다 다시 브레이크로 옮기기를 반복했다. 속도를 낼 수 없는 정체에 조급증이 났다. 승우와 최 선생이 기다리고 있다는 걱정 때문이기도 했지만 그녀는 빨리 불안한 이 도로에서 벗어나고 싶었다. 고속도로를 타려는 차들은 200m 전부터 우측 깜빡이를 켜고 있었다. 퇴근 시간을 알리듯 전조등을 내쏘는 차들로 거리는 불빛 터널을 만들었다. 차들은 뜨거운 지열과 엔진 열기 때문에 에어컨을 켜고 가는지 창문을 모두 닫고 있었다. 그때였다. 그녀가 앉은 운전석 바로 옆에서 검은색 승용차의 조수석 유리창이 스르르 내려갔다. 무의식적으로 고개를 돌리는 순간 암막 커튼 같은 유리창이 다시 올라가더니 다시 내리고 올리고를 두 번 더 반복했다. 남자의 시선은 정면을 향했기 때문에 모든 것이 유령의 장난처럼 느껴졌다. 남자의 행동이 의도적이라는 생각이 들었다. 순간 그녀의 가슴속에서 분쇄기 돌아가는 소리가 들렸다.

'아까 그 남자일까.'

까닭을 알아내기 위해 비보호 좌회전을 기다리던 순간부터 다시 기억을 더듬기 시작했다. 그녀가 한 말은 딱 한 마디였다.

"엄마 같은 사람한테 왜 반말을 해요?"

'저 자식이 사람 미치게 만들 참인가, 술을 먹었나? 아닐 거야.'

그녀가 내뱉은 말들에 그녀 스스로 대답했다. 왜 이런 불안을 경험해야 하는지 모를 일이었다. 검은색 승용차는 앞차와의 간격을 벌린 채 그녀의 차와 평행을 유지하며 달렸다. 분명 룸미러에서 눈을 뗀 적도 없었고 검은 승용차가 따라오는 것을 본 적도 없었는데 언제 따라붙은 것인지 의아했다. 그녀는 집으로 가는 길을 지나서 포구 쪽으로 내달렸다. 만약 검은색 승용차가 좀 전에 그녀에게 시비를 걸어 온 차가 아니라면 그녀를 따라오지 않을 것이라는 생각에 무작정 신호가 바뀌는 대로 직진을 했다. 검은 승용차는 사라지지 않았다. 그녀의 얼굴에 두려움이 가득 차올라 일그러졌다. 초등학교 앞 삼거리에서 우회전을 하는 내내 그녀는 사이드미러에서 눈을 떼지 않았다.

눈을 떼지 않는 것은 오랜 시간 승우에게 했던 그녀의 버릇이었다. 승우에게서 눈을 잠시라도 떼면 승우는 때려 부수고 집어던지고 심지어 행방불명되었다. 눈을 떼지 않고 사는 것, 환자들의 벌린 입에서도 그녀는 눈을 떼지 못했다.

눈이 빠지도록 아프고 몸이 떨렸다. 룸미러에는 열이 가득 찬 벌건 눈이 겁에 질려 바라보고 있었다. 오랜 기간 앓은 얼굴처럼 보였다. 남편의 얼굴도 늘 앓는 사람 같았다. 남편의 전화는 여전히 꺼져 있었다. 남편이 전화기를 꺼 놓는 것 또한 오랜 시간 굳어진 습관이었다. 승우의 잦은 돌발 사고로 인해 그녀가 몇 번 남편을 부른 적이 있었다. 그 뒤로 남편은 자정이 넘은 시간에 들어왔다. 그녀가 남편을 이해 못 하는 것은 아니었다.

"나는 이런 삶을 기대했던 게 아냐. 나 당신보다 형편없이 무른 사람인가 봐."

비겁하다고만 할 수 없는 고독을 남편에게서 본 날, 어디론가 도망칠 것 같은 남편에게 그녀는 더는 삶의 무게를 나누지 못했다. 아무에게도 보호 받을 수 없다는 위태로운 불안감이 그녀에게도 버거운 일이라고 말 할 수 없었다.

일 년에 두세 번, 병원 식구들과의 회식은 그녀에게도 유일한 일탈이었다. 일탈을 용납하지 않겠다는 듯 검은 승용차는 사라지지 않았다. 반말을 해대던 녀석의 조소와 경멸, 까닭을 알 수 없는 분노를 담은 얼굴이 자꾸 아른거렸다. 그녀의 불안한 한숨이 자동차 안을 채웠다. 누구에게든 무슨 말이라도 해야 할 것 같았다.

"승우야, 최 선생님 가셨니?"

"혼자 있어요. 승우 무섭다. 빨리 와요."

"승우야, 엄마 가는 중이야. 어떻게 하고 있어야 하지?"

승우는 한참 적당한 대답을 찾지 못하고 침묵했다. 승우의 머릿속에서 적당한 대답을 끄집어내려면 시간이 걸렸다.

"얌전하게, 가만히 앉아 있어, 알았지?"

"얌전하게, 가만히 앉아 있을게요."

승우에게 간곡하게 말했지만 어차피 집은 난장판이 되어 있을 것이었다.

그녀는 어디로 가야 할지 떠오르지 않았다. 여전히 어디인지 모를 곳을 달리고 있었다. 정신을 차리고 창밖을 두리번거렸지만 도무지 알 수 없는 도로를 달리고 있었다. 좌회전을 할지 우회전을 할지 망설였다. 망설이다 뒤차가 울리는 경적 소리에 밀려 또 직진을 했다. 다행히 검은 승용차는 어느 순간부터 보이지 않았다. 그녀는 어떻게 집으로 갈 것인가 고민했다. 그녀는 이제껏 직진했으니 유턴을 하면 집으로 가는 길이 나올 것이라 생각했다. 밖의 낯선 풍경은 점점 아득해졌다.

'도대체 어디로 가고 있는 것일까?'

생각과 달리 뒤차의 경적 소리에 밀려 또 직진을 했다. 눈앞에 고가 도로가 펼쳐졌다. 그녀는 순식간에 고가 도로를 피해 고가 도로 옆길로 차선을 변경했다.

그녀는 고가 도로를 오를 때마다 어린 시절, 마을과 마을을 이어 주던 다리가 떠올랐다. 다리가 길어서 허공에 떠 있는 듯 보이고 교각에 용이 그려진 다리였다.

"다리를 건너는 것을 봤는데."

그녀의 아버지를 보았다던 외삼촌의 말이 무색하게 아버지는 보름 만에 주검으로 발견되었다. 술에 취해 다리 위에서 시퍼런 강바닥으로 곤두박질쳤던 모양이었다. 삼복더위에 부패되어 뭉그러진 아버지를 본 이후 그녀는 고가 도로를 지나가면 다시는 돌아오지 못할 것처럼 두려웠다. 그녀는 고가 밑에서 급하게 유턴을 하고 달렸다. 어느새 도로는 쌍방향이 텅 비어 깜깜한 어둠만 기다랗게 누워 있었다. 한참을 달렸다. 그녀의 눈에 승우가 행동 치료를 받는 클리닉 건물이 들어왔다. 빌딩 9층 옥상에서 내려다보는 성당 십자가도 눈에 들어왔다. 소망부동산에서 우회전을 하고 한마음슈퍼에서 다시 좌회전을 해서 그녀가 살고 있는 조붓한 골목으로 접어들었다. 골목 맨 끝에 있는 건물이 그녀가 살고 있는 빌라였다. 그녀는 차를 세웠다. 자동차에 장착된 전자시계에 10시 31분이란 숫자가 반짝거렸다. 올려다본 305호에도 불빛이 환하게 밝혀 있었다. 도착했다는 안도감과 달리 집으로 들어가기가 겁이 났다. 승우가 벌여 놓은 광경이 눈에 선했기 때문이었다. 중식당에서 나온 뒤 2시간이 지난 시각이지만 며칠 먼 곳을 헤맨 듯 나른했다.

그녀는 차에서 내려 크게 심호흡을 했다. 후덥지근한 공기가 폐부 깊숙이 들어와 답답하긴 해도 집에 도착했다는 안도감으로 편안했다. 순간, 앞 빌라 건물 앞에 검은 승용차가 조용하지만 위엄 있게 미끄러지듯 들어왔다. 그녀는 하마터면 놀라 주저앉을 뻔했다. 뒷걸음질을 쳐 화단 쪽에 있는 모퉁이로 숨었다. 숨이 멎을 듯 가슴이 답답해졌다. 짙고 두터운 어둠 때문에 검은 승용차에 탄 사람의 얼굴 따위는 보이지 않았다. 승용차는 주차도 하지 않고 미동 없이 서 있었다.

검은 승용차가 남자의 승용차라는 증거는 어디에도 없었다. 아니라는 증거도 없었다. 그녀는 확인해야만 한다고 생각했다. 그래야 공포에서 벗어날 수 있을 것 같았다. 그러나 공포는 쉽게 가시지 않았다.

'여기까지 따라왔단 말인가?'

그녀는 집으로 들어갈 수가 없었다. 일부러 여기까지 쫓아온 것이라면 무슨 일을 벌일지 몰랐다. 그녀는 주먹을 쥔 손과 후들거리는 발에 힘을 주고 용기 내어 자동차 쪽으로 걸어갔다. 서너 발짝을 떼는 동안에도 앞으로 더 가야 할지 멈춰야 할지 망설였다. 그녀가 한 발을 더 떼려는 순간 자동차는 급하게 꼬리를 앞 빌라로 넣었다가 들어왔던 방향으로 미끄러져 나갔다. 주저앉고 싶었다. 그녀는 차가 완전히 사라진 것을 확인하고도 접착제로 붙인 것처럼 바닥에 들러붙어 있었다.

'3층이 우리 집인데⋯⋯ 내가 그곳에 살고 있는지는 모를 거

야. 아냐, 이 건물에 살고 있다는 것만 알아도 나를 어찌할 수도 있을 거야. 어떡하면 좋지?'

검은 승용차는 사라졌지만 그녀의 불안은 사라지지 않았다. 그녀는 검은 승용차의 차 번호도 모르고 운전자의 얼굴도 헷갈렸다.

'어디 사는 누군지도 모르는데 어떡하지?'

정체불명의 그가 이미 그녀의 집까지 다 파악하고 있을 것만 같아 그녀는 소름이 돋았다.

술에 취해 거실에 쓰러져 있을 것이라 생각했던 남편은 멀쩡하게 소파에 앉아 있었다.

"여보, 앳된 남자였어요."

"뭔 소리야?"

"그 애가 따라왔다고요. 얼마나 무서웠는지…… 아직도 내 목소리가 떨리잖아요?"

"당신을 따라올 만큼 한가한 사람 없어. 승우나 봐."

"그게 아니라 검은 승용차가…… 검은 승용차가 집 앞까지…… 지금도 심장이 뛰고 무서워요."

"진짜 무서운 건 모두 다 엉망이 되어 가고 있다는 거야."

남편은 답답하다는 듯 미간을 찌푸렸다. 남편의 말을 듣는 순간 복사기가 훑고 지나갈 때의 빛처럼 차들이 지나다닐 때의 빛이 아직도 남아 그녀의 가슴 한편을 훑어 한 장의 종이로 나뒹구는 것처럼 동요했다. 남편의 눈은 잘 다려진 바지 줄처럼 날이 서 있었다.

가족이 같은 공간에 모인 것은 아주 오랜만이었다. 그것도 적당하게 술을 마신 남편은 더욱 드문 일이었다. 침묵이 이어졌다.

"승우 배고파요."

승우가 먼저 입을 열었다.

"선생님하고 먹었잖아."

승우의 배고프다는 말에 그녀는 남편을 쳐다보았다.

"입만 열면 먹을 거 내놓으라니 원!"

남편의 눈을 피하듯이 주방으로 간 그녀가 간단하게 밥을 차리는 동안, 누구도 누구에게도 말을 걸지 않았다. 남편의 눈은 텔레비전에 고정해 있었고 그녀는 계란을 돌돌 말아 부치는 것에 열중했다. 승우가 자동차를 마룻바닥에서 드르륵 끌고 다녔다.

"아랫집 시끄러워."

그녀가 뱉어낸 말은 절규 같았다.

"승우 싫어요. 재미있단 말예요."

"그만해. 그만하라고. 무서운 아저씨 쫓아온다고."

남편과 승우는 귀를 닫은 사람 같았다. 그녀의 눈은 금방이라도 눈물이 뚝 떨어질 것 같이 젖어갔다. 그녀가 하는 말은 이미 말이 아니었다. 그들에게는 단순한 소리였다. 그녀가 낸 소리는 거실에 떠다니는 습기처럼 집 안을 둥둥 떠다닐 뿐이었다. 승우는 더 세게 자동차를 드르륵거렸고 남편은 텔레비전에 더 깊이 집중했다. 텔레비전 화면에는 점퍼를 머리까지 뒤집어쓴 존속 살해범이 머리를 숙이고 죄송하다는 말을 하고 있었다.

"죄송하다고? 누구한테 죄송하다는 거지? 죽었잖아. 정작 죄송하다는 말을 들어야 할 사람은 이미 네가 죽였잖아. 너를 세상 밖으로 나오게 한 사람을 죽여 놓고 죄송하다고?"

그녀는 텔레비전을 보고 있는 남편 얼굴을 바라보며 중얼거렸다.

'미안해. 성질이 불같아도 이해해 줘. 회사 일만으로도 벅차. 사랑한다고 말해 주세요.'

그녀는 끝없이 끌려 나오는 생각에 고개를 힘껏 저었다.

남편은 텔레비전 화면 속을 바라보는 것처럼 무념하게 그녀를 쳐다보았다. 나와는 아무 상관없는 일인 듯 쳐다보는 남편의 눈을 피해 그녀는 승우 쪽으로 고개를 돌렸다.

"제발 조용히 하라고……."

승우는 바닥에다 드르륵거리던 자동차를 집어 던졌다.

"뽀로로 볼 거야. 뽀로로 보고 싶어."

승우가 매일 보던 텔레비전 프로였다. 남편은 아무 소리도 듣지 않기로 작정한 사람처럼 텔레비전만 들여다보고 있었다. 남편은 마치 투명한 유리 방음벽 안에 있는 사람 같았다.

"엄마 배고파요."

"다 됐어."

"엄마, 사랑한다고 말해 주세요."

"그래, 사랑해."

핑퐁 게임을 하는 것처럼 같은 말을 던지고 받는 그녀와 승우를 보던 남편이 방으로 들어갔다. 승우는 달려가 뽀로로를 틀었다. 그녀는 계란말이와 소시지 부침과 어묵 볶음이 올라간 밥상을 승우 앞에 놓았다. 휘둥그레 뜬 승우의 눈이 뽀로로와 밥상을 바쁘게 오갔다. 승우는 화면이 정지될 때마다 무릎걸음으로 가 텔레비전 화면을 손바닥으로 탁탁 쳤다.

"야!"

승우는 뽀로로가 정지될 때마다 소리를 내질렀다. 신경질을 낼 때마다 볼이 터지도록 밀어 넣은 씹다 만 음식물이 튀어나와 마룻바닥에 하얀 얼룩을 만들었다.

꽝!

무너지는 소리가 들렸다.

"야아……."

늘릴 대로 늘린 고무줄처럼 팽팽하던 신경이 끊어지면서 그녀는 자신도 모르게 비명을 지르며 주저앉았다. 그녀의 비명 소리에 놀라 승우가 울기 시작했다. 남편이 뛰어나왔다.

"당신, 왜 그래?"

승우가 거실 바닥으로 밀어버린 텔레비전이 괴물처럼 뒹굴었다.

"아! 오늘은 왜 이렇게……."

그녀는 두 손으로 얼굴을 감싸고 널브러졌다.

"이러니 맨 정신으로 집에 들어오고 싶겠어?"

남편은 술 취해 집에 들어와 주는 것만으로도 다행인 줄 모르느냐는 말투였다. 그녀는 한참을 더 얼굴을 감싸고 주저앉은 채 있었다.

"제발 정신 좀 차립시다."

남편은 위로인지 충고인지 모를 말을 흘리고 방으로 들어갔다. 여전히 남편은 그녀와 승우를 하나로 엮어 승우 문제를 늘 그녀의 탓으로 여기며 그녀를 책망했다. 거실에는 박살 난 텔레비전 잔해가 그녀의 엉망이 된 하루처럼 나뒹굴었다.

"뽀로로가 안 나온단 말야. 안 나온단 말야."

"……."

"안아 주세요. 안아 주세요. 사랑한다고 말해 주세요."

승우는 그녀에게 안겼다. 12살 승우는 그녀보다 키가 5cm는 커져 있었고 잡힌 손을 빼기에 역부족일 만큼 힘도 세졌다. 승우는 고집스럽게 제 얘기만 반복했다.

"안아 주세요. 사랑한다고 말해 주세요."

그녀는 승우에게 잡혔던 손을 가까스로 풀고 자리에서 일어났다. 승우는 앞으로 자라면서 힘이 더 세질 것이고, 반대로 그녀는 나이가 들며 힘이 빠질 것이다. 그녀가 승우를 감당하기에 점점 힘에 부치게 될 것이다.

"이제 그만 죽어 줬으면 좋겠어요."

최 선생의 절박한 목소리가 그녀의 입에서 나왔다. 그녀는 흠칫 놀라 고개를 완강하게 흔들었다.

승우는 뽀로로 프로가 제때 나오지 않을 때마다 텔레비전을 내던졌다. 두 번은 새것으로 샀고 두 번은 수리가 가능했다. 그럴 때마다 최 선생의 낮은 목소리가 그녀의 입에 젖은 낙엽처럼 들러붙어 맴돌았다.

승우는 벗어 놓은 세탁물처럼 후줄근하게 주저앉아 졸고 있었다. 그녀는 승우를 먼저 씻기고 방에 뉘였다. 그녀는 날이 밝아 오지 않을 것 같은 두터운 어둠을 바라보듯 승우를 바라보았다. 승우는 꽉 채운 배를 내놓고 곧 곤한 잠에 빠져들었다. 남편도 잠이 들었는지 조용했다.

그녀는 텔레비전 잔해를 쓸어 담았다. 아침 일찍 공터에 버려야 할 것이었다.

'언제 쓰레기가 저렇게 많이 쌓였지?'

멀리 공터에 쌓인 쓰레기가 처음으로 눈에 들어왔다. 깔깔거리는 웃음소리가 어느 창에서인가 새어 나왔다. 부서진 의자와 장롱이 수문장처럼 공터 입구를 지키고 서 있었다. 침대 매트리스도 안온했던 누군가의 잠자리를 기억하며 함부로 누워 있었다. 밖을 무심하게 훑던 그녀의 눈에 들어온 것은 빌라 주차장에 세워진 검은색 승용차였다.

'그때 빠져나간 게 아니었단 말인가, 어느새 다시 와서 내 집을 엿보고 있었단 말이지?'

겨우 진정된 줄 알았던 불안이 다시 차올랐다. 그녀도 승우처럼 텔레비전이라도 부수고 싶었다. 그녀는 공포와 불안을 없앨 수만 있다면 뭐든 할 수 있을 것 같았다. 당장 숨을 쉬기가 어려웠다. 궁지에 몰린 쥐처럼 그녀는 불쑥 검은 승용차에 알 수 없는 적의가 솟았다.

'내가 뭘 잘못했는데!'

왜들 자신만 가지고 그러는지 그녀는 알 수 없다고 생각했다.

'내가 그렇게 우습게 보였단 말이지. 또 따라왔단 말이지.'

적의를 넘어 분노가 솟구쳤다. 그녀는 주섬주섬 카디건을 걸쳐 입고 현관을 나섰다. 그녀가 층계를 내려갈 때마다 센서 등이 그녀에게 경고하는 것처럼 환하게 불을 쏘았다. 불빛 아래 그녀의 다리가 미세하게 후들거렸다. 낮부터 시작한 오한 때문인지 한여름인데도 몸이 떨려 왔다.

그녀는 밖으로 나와 주위를 두리번거렸다. CCTV는 어디에도 없었다. 공터 앞 가로등 불빛이 형광 부표처럼 환하게 빛났다. 폐장롱의 흰 칠에서 반사된 빛 때문에 그녀는 눈을 먼 곳으로 돌렸다. 순간 그녀 곁으로 길 고양이가 앙칼진 울음을 내며 스쳐 지나갔다.

그녀는 가슴을 쓸어내리고 쓰레기 잔해에서 날카로운 돌을 주워 들고 재빠르게 자리를 떴다. 뾰족한 돌 끝을 검지 끝에 댔다. 이상하리만큼 날카로운 돌의 감촉에 안도감을 느꼈다. 검은색 승용차로 다가서 유리창에 이마를 대고 안을 들여다보았다. 검은 유리창은 어둠을 닮아 아득했다. 금방이라도 검은 유리창이 스르르 내려올 것 같아 머리카락이 쭈뼛 섰다. 그녀는 재빠르게 뒤로 물러났다.

그녀는 돌을 쥔 손에 힘을 꽉 주어 검은 자동차 옆구리를 죽 그어 갔다. 어둠 속으로 쇳소리가 스며들었다. 그녀는 검지로 자국을 따라 자동차를 훑어 갔다. 푹 파인 줄은 길고도 선명했다. 뭔가 뿌듯했다. 그녀는 지금의 상황을 부인하듯 움켜 쥔 돌을 놓아 버렸다. 돌이 시멘트 바닥에 떨어지는 소리가 어둠에서 섬광처럼 퍼져 나갔다. 그녀는 기이하게도 웃음이 비어져 나왔다.

"미안해."

그녀는 차를 다독이듯 말했다. 웃는 동안 원장과 남편의 얼굴이 지나갔다. 승우와 앳된 남자의 얼굴도 스쳤다. 계단을 올라가는 내내 누군가에 의해 등이 떠밀리듯 그녀의 걸음이 빨라졌다. 좀 전까지 오한을 느끼던 그녀는 머리 속에 땀이 솟았다.

그녀는 세찬 물줄기를 맞으며 샤워하는 동안에도 웃음이 비어져 나왔다. 뜨거운 재스민 차를 한 모금 물었다. 거실 불을 껐다. 적당한 어둠이 안온했다. 창밖의 어둠 속에서 검은 승용차가 조용히 엎어져 있을 뿐, 아무도 없었다.

'자극이 선명했어.'

그녀는 어둠에 대고 읊조렸다.

안녕, 택시 드라이버

덕호는 30분째 손님을 찾아 우회전과 좌회전을 반복했다. 230km 넘게 칼바람을 뚫고 거리를 헤맸지만 아직 사납금도 채우지 못했다. 오후 4시에 교대를 했으니 벌써 여섯 시간째 도로를 헤맸어도 손님을 태우고 달린 시간은 총 근무 시간의 반도 되지 않았다. 요즘은 곳곳에 설치된 CCTV 때문에 자유롭게 정차하기도 쉽지 않아 우회전과 좌회전을 반복하며 손님을 찾아 돌고 돌았다.

지금이라도 곧장 손님을 태운다면 사납금은 채울 수 있겠지만 살을 에는 칼바람 때문인지 거리는 한산했다. 사람들은 버스 정류장 주변 인도를 차지하고 들어선 포장마차로 추위를 피해 드나들고 있을 뿐이었다. 덕호는 포장마차 천막에 드리운 손님들의 실루엣을 부러운 눈으로 잠시 쳐다보았다. 걸어가던 여자가 회오리바람에 한껏 몸을 돌려 움츠렸다. 덕호는 재빠르게 인도 가까이 차를 세웠지만 여자는 바람의 방향이 바뀌자 가던 길을 재촉했다. 덕호는 계속 인도 가까이로 서행하며 차창을 열고 움츠린 행인을 향해 호객하는 눈빛을 보냈지만 손님을 태우지 못했다. 그래도 수차례 반복하다 보면 어쨌든 손님을 태울 수 있다는 기대로 이 짓을 하지 않을 수도 없었다.

"아빠, 보일러가 얼어 터졌어요."

한 시간 전에 받은 전화 너머 큰놈의 겸연쩍어하던 목소리가 택시 엔진 소리처럼 귓가에서 그르렁거렸다. 외팔이 아비가 운전 중이면 아무리 급박한 상황이라 해도 전화 받을 손이 없다는 것을 덕호의 아들들은 알았다. 아이들은 덕호가 먼저 전화 할 때까지 할 말을 모아 두었다가 한꺼번에 속사포처럼 쏟아 냈다. 오늘 같은 추운 날씨에 온기 없는 방에서 밤을 보내고 있을 노모와 아이들을 생각하니 생각만으로도 덕호의 몸에 소름이 돋았다.

기력이 떨어지고 엉뚱한 행동을 하는 노모가 자꾸 눈앞에 아른거렸다. 덕호는 겨울철 배관 동파 예방을 위해 보일러를 외출 모드로 작동시켰다. 전기세를 아껴야 한다며 노모는 집안에 있는 모든 코드를 빼 놓았다. 그래서 연탄보일러가 동파됐을 것이다. 노모는 이미 오래전부터 이해하기 힘든 행동을 했다. 코드를 빼 놓은 냉장고는 냉동실 얼음이 녹으며 물이 줄줄 흘렸다. 그 짓을 며칠 간격으로 반복했다.

"어쩌자고 시키지도 않은 일을 해요!"

덕호가 부아를 삭이지 못하고 성깔을 부리면 돌아오는 대답은 늘 같았다.

"내가 뭘 어쨌다고 지랄들이야."

부지런하고 명랑했던 어머니가 어쩌다 저렇게 변했는지 덕호는 음울했다.

이곳까지 오지 않았더라면 덕호는 P동 부근에서 두 탕은 더 뛸 수 있었다. 젊은 남자가 정차 중인 앞 택시에서 여러 번 거절을 당했는지 탔다 내리기를 반복했다. 젊은 남자가 택시 문을 힘껏 닫고 뒤로 올 때마다 유심히 지켜보지 않았더라면 덕호도 쉽게 거절했을 것이다. 그렇다면 그 좁은 골목까지 오지 않았을 것이다.

P동에서도 제일 번화한 곳이었다. 젊은 놈이 무려 6대의 택시에 승차 거부를 당하고 물러날 때마다 덕호도 적당한 거절 구실을 찾으려 머리를 굴렸다. 젊은이가 일곱 번째 서 있던 자신의 차까지 올 것 같은 예감은 맞아 떨어졌다. 이십 대 초반으로 보이는 사내가 얼굴이 사색이 되어 창문에 턱을 대고 사정하자 준비했던 구실은 목구멍으로 다시 기어 들어갔다.

"타슈."

젊은 남자는 고개를 조아리며 밖의 싸늘한 공기를 몰고 택시에 올라탔다.

"여자 친구가 손목을 그었대요. 다행이 동생이 발견했다는데…… 가진 돈은 칠천 원이 전부라고 했더니 모두 내리라고 하더라고요. 고맙습니다."

K동까지 가려면 만오천 원 이상 나올 것이다. 들어가면 나올 때 손님을 태울 확률도 적은 곳이었다. 내리라 할 것인가 잠시 고민하는데 오른팔 환각지에 통증이 시작됐다. 하마터면 비명이 입 밖으로 튀어나올 뻔 했다. 덕호는 액셀을 밟으려다 기아를 다시 중립으로 놓고 약 봉지를 물고 왼손으로 뜯었다. 잡아당기는 힘이 과했는지 알약이 굴러떨어져 오른발 밑에 뒹굴었다. 허리를 틀어 약을 왼손으로 주워 입에 털어 넣었다. 뒤에 탄 젊은 남자가 덜렁대는 오른팔을 보고 불안한 눈빛을 했다.

"놀랐다면 미안하구."

덕호는 슬쩍 말을 놓고 난 뒤 뒷자리에 젊은 남자를 돌아보았다. 자신도 모르게 악조건의 손님을 태웠다는 후회와 신경질 때문에 반말이 툭 튀어나온 것이 미안했다.

"받친 적은 있어도 내가 받은 적은 없소."

"한 손 운전이 가능하시군요."

젊은 남자도 예의가 아니라 여겼는지 불안한 표정을 곧 풀었다. 손목을 그었다는 여자 친구에 대해 몇 마디 더 했지만 덕호는 좀 전의 다급한 큰놈 목소리만 귓가에 맴돌아 맞장구를 치지 못하자 젊은 남자도 곧 입을 닫았다. 목적지가 가까워지자 젊은 남자는 덕호의 연락처를 물었다. 부탁을 넘어 간절하기까지 했다. 덕호는 몇 번 사양했지만 단순한 인사치레는 아닌 듯 보였다.

"혹시 아세요, 제가 단골이라도 될지?"

"택시 기사는 단골이 없는 유일한 직업이오. 어떤 장사도 단골이 힘이고 미덕이며 끈인데……."

"단골은 준비된 것이 아니고 만드는 거죠. 오늘 제가 첫 단골이 되겠습니다."

덕호는 못 이기는 척 전화번호를 불렀다.

둘째 아들 놈에게서 온 세 번째 전화벨이 울릴 때 덕호는 갓길에 차를 세웠다. 연거푸 세 번 전화를 한 것으로 보아 먹을 것이 없으니 라면을 사 오라든지, 할머니가 전원을 모두 끄고 전등도 꺼 놓게 한다든지, 일상적인 소소한 이야기는 아닌 듯했다.

"무슨 일이야?"

덕호는 춥고 냄새나는 지하 방에 이불을 뒤집어쓰고 있을 아들놈들을 향한 안쓰러운 마음을 손님 앞에서 들키지 않으려 일부러 차갑게 말했다.

"아빠 나가시고 바로 큰아빠한테 전화 왔었는데 오늘 할아버지 제삿날이래요. 아빠가 바쁘면 할머니랑 우리도 그냥 집에 있으래요."

"근데 왜 이제 전화해?"

"할머니가 아빠한테 전화하지 말랬어요. 근데 나중에 아빠한테 혼날까봐 지금이라도 몰래 전화하는 거예요."

"알았으니까 할머니랑 잘 있어. 또 전화할게."

제사에는 못 가도 돈 버는 일을 중단하게 만들고 싶지 않은 어머니의 속내를 덕호는 충분히 알았다. 덕호는 벌써 커 심부름 하는 작은놈을 생각했다. 집을 나간 엄마를 찾아 울고 보채던 녀석이 나름 판단을 할 줄 아는 녀석으로 커 전화를 가려 할 줄 아는 것이 대견해서 덕호의 입에서 웃음이 픽 나왔다.

덕호의 둘째 아들이 태어나던 날이었다. 덕호는 그날따라 직장에서 작업량이 많아 병원에 있어 주지 못했다. 덕호가 그날 아내 곁에서 아들의 탄생을 지켜봤다면 사고는 없었을 것이다. 그렇게 그날은 운명이 엇갈리던 날이었다.

"우리 무재해 라인에서 일하는 게 좋아요."

구내식당에서 친형처럼 지내던 규식에게 덕호는 싱글벙글 웃으며 자랑하고 있었다. 덕호는 무사고 라인에서 일하는 자부심 저변에 둘째 아들을 얻었다는 행복을 감추지 못했다.

"그렇게 좋아?"

"말이라구요? 사고 없는 곳에서 일하는 것이 좋습니다."

"아니, 둘째 놈 태어난 것 말이야. 사고 없는 곳은 없어. 사고 나지 않도록 항시 조심해야지."

"기분 최고예요. 어서 일 끝나고 보러 가야죠."

"마음을 콩밭에 두면 안 돼. 아이는 집에 가서 실컷 보고 지금은 집중할 때야."

덕호는 규식의 진심 어린 충고를 염두에 두고 한층 조심했더라면 사고는 나지 않았을까하는 생각을 했다. 안전 커버가 설치되지 않은 벨트 컨베이어에 팔이 밀려 들어간 것은 찰나였다. 덕호는 현실을 받아들이기 괴로웠다. 술과 잠의 연속일 때 아내가 집을 나갔다. 화가 나서 그랬을 것이라고 덕호의 술버릇을 고치고 겁만 주다 들어올 거라고 덕호는 그렇게 믿고 싶었지만 아내는 덕호가 피와 바꾼 보상금까지 가지고 사라졌다. 배신감에 치가 떨렸다. 처음에는 팔이 없어진 상실감과 통증으로 괴로웠다. 아내가 옆에서 위로가 되어 주었다면 극복할 수 있었을 것이라고 생각했다. 이런 원망 뒤에 일말의 덕호 마음속에는 아내를 지치고 파렴치하게 만든 것은 자신의 무력감이 아닐지 자책으로 자조했다. 그런 생각은 잠시였다. 덕호는 아내를 찾아 똑같은 고통을 주고 싶었다. 아내를 찾기 위해 덕호가 정신을 차리는 데는 오랜 시간이 걸렸다.

운전대를 잡은 것이 사 년이 다 되었다. 덕호는 보통 사람보다 더 달려야 그들과 수입이 비슷했다. 덕호가 술과 씨름할 때 어머니가 소매 뒤집기 부업을 하면서 형 집을 오가며 구걸하듯 아이들을 건사해 준 덕에 아이들이 그나마 지금처럼 자랄 수 있었다.

큰아이가 여덟 살, 작은아이 네 살이었다. 외팔로 어린 아이들을 건사하기는 어려운 일이었다. 덕호는 형이 모시던 노모를 모셔 왔다.

"한번 모셔 가면 끝까지 책임져야 한다."

필요할 때 모셔 가고 나중에 다시 떠메고 오면 안 된다고 형은 단단히 못을 박았다. 덕호가 어머니의 희생을 얻는 대신 어머니가 가진 집은 형 차지가 되었다.

"미친놈. 어째 점점 미친놈이 돼 가니?"

덕호는 어머니에게 어린 것들을 떠맡기고 술과 잠에 빠졌다. 정신을 차리고 나면 통증과 좌절이 엄습했다. 그럴 때마다 아내가 잠시 방황을 끝내고 어린놈들이 눈에 밟혀서라도 곧 돌아 올 것이라고 믿었지만 그런 생각은 바람으로 끝났다. 덕호는 아내를 찾아 수도 없이 자신에게 했던 '왜였을까' 라는 질문을 묻고 싶었다.

그럴 때마다 꼭 찾고야 말겠다는 오기로 떨었다. 어린 자식을 두고 떠난 아내를 용서할 수 없다고 처갓집 주변을 배회했다.

덕호는 아내가 자신에게 과분한 여자라고 생각했었다. 자신이 알던 아내의 모습 어디까지가 참모습인지 헷갈릴 때마다 아내를 꼭 찾을 것이라 이를 물었다. 그러나 시간이 지날수록 선명했던 아내의 얼굴과 몸이 서서히 잊힐 때마다 덕호는 고개를 흔들었다.

젊은 남자를 내려준 뒤로 덕호는 손님을 찾아 40분을 더 헤맸다. 머릿속으론 아버지 제사에 갈 것인가 말 것인가를 고민하며 눈은 인도에서 손을 든 승객을 찾았다. 곧장 들어가면 어머니와 아이들을 데리고 아버지 제사에 참석할 수 있다고 생각했다. 그렇게 하려면 모자라는 사납금은 채워 넣어야 했다.

'고장 난 연탄보일러는 또 어떡하란 말인가? 그래, 앞으로 10분만 더 손님을 찾아다니다 없으면 가는 거야. 오랜만에 어머니와 아들놈들도 맛난 음식을 먹이고.'

그런 생각을 하니 덕호의 마음이 좀 가벼워졌다. 손님이 없을 때는 밤거리를 헤매는 취객들이나 동대문과 남대문에 물건 떼러 온 손님을 태우면 간단했다. 덕호는 알면서도 하지 못했다. 밤중에 타는 승객 중에는 술 취해서 타는 사람이 더러 있었다. 취객을 태우고 내리는데 부축할 오른팔이 덕호에게 없었다. 도매상도 물건을 실어 주고 내려 줘야 했다. 본인들이 지쳤는데 도와주지 않는다고 짜증을 심하게 부릴 때도 있었다. 한창때 목이 좋지 않은 곳까지 와 도로를 쏘다니고 있자니 낮에 젊은 놈을 거절하지 못하고 태운 것이 덕호는 또 후회가 되었다.

10분이 채 안 돼 모퉁이 앞에서 남자 셋이 손을 들었다. 비틀거리는 남자를 두 사람이 부축하고 서 있었다. 덕호는 축 들어진 자신의 오른쪽 소매를 쳐다봤다. 취객들이 난동을 부린다면 저항할 손이 없다는 것이 마음에 걸렸다. 그렇지만 아버지 제사에도 못 간 오늘은 고민 하는 것이 어쩐지 배부른 짓이라 생각했다. 생각을 고쳐먹으니 밖의 손님들이 반가웠다. 그들 앞에 미끄러지듯 차를 세웠다. 부축하는 두 사람 중 하나가 뒷문을 열고 조심스럽게 중년 남자를 태우고 덕호에게 잘 부탁한다는 말을 남기고 차 문을 닫았다. 중년 남자는 시트 깊숙이 자리 잡고 누워서 눈까지 감았다. 덕호는 이상한 예감이 들었다. 혹시 영업과 제사를 저울질하던 못된 아들을 하늘에서 아버지가 보시고 괘씸하다 여겨 보내준 주정뱅이가 아닐까하는 생각이 불현듯 들었다.

"손님 어디까지 가십니까?"

"그냥 가, 마. 말이 많아, 건방지게."

"어디까지 가시는지 알아야 출발합니다."

"나 택시 탈 사람 아냐, 새끼야."

"죄송합니다."

입을 통해 나온 말과 달리 덕호의 입가가 바르르 떨렸다. 한두 번 듣는 것도 아니지만 들을 때마다 뭉뚝한 오른팔 끝에 힘이 들어갔다. 남자가 갑자기 눈을 번쩍 뜨고 비스듬히 일어나 앉았다. 아까 부축했던 남자가 얼핏 말한 S동으로 일단 출발을 했다. S동 가까이 가서도 목적지를 알려주지 않는다면 파출소로 데려가는 수밖에 없었다.

"너 외팔이냐? 내가 지금 외팔이가 모는 택시에 재수 없게 걸려 든 거냐?"

'이 새꺄, 없어진 내 팔 때문에 니가 재수 없을 게 뭐야. 너한테 밥을 먹여 달라고 징징댔냐, 내 새끼들 공부를 시켜 달라 떼썼냐. 재수 없는 새끼.'

덕호는 속으로 생각했다. 중년 남자는 덕호의 소매를 흔들기 시작했다. 덕호는 허공에서 덜렁덜렁 춤추는 빈 소매를 낚아챘다.

"어, 이놈 봐. 기분 나쁘냐? 나도 네놈 차 탄 게 기분 나쁘다. 새꺄."

덕호는 계속 주정을 부리는 중년 남자를 향해 욕을 했지만 낮은 목소리로 중얼거리는 욕은 엔진 소리에 묻혀 사라졌다.

"왜 고가로 넘어가냐구, 임마. 강변 따라 쭉 직진하면 요금이 지금보다 반은 줄 텐데. 사기꾼 같은 놈."

"손님, 고가로 가면 조금 돌아가지만 신호가 없고, 강변길은 거리는 좀 짧지만 신호가 많아 그게 그겁니다. 잘 모실게요."

"손님이 원하는 데로 갈 것이지 말이 많아, 새끼야. 건방진

놈. 나 택시 탈 사람이 아냐, 마."

손님이 입을 벌릴 때마다 술 냄새가 차 안 공기를 흐렸다. 꽁꽁 싸 놓은 환각지가 더욱 욱신거렸다. 덕호는 오른팔만 있다면 팔을 쭉 뻗어 주절대는 남자의 입을 향해 주먹을 날리고 싶었다.

"말 같지 않냐, 왜 대답 없어? 외팔이 주제에 나 무시하냐? 나 택시 타고 다닐 사람 아냐, 인마."

"손님, 조용히 가세요. 더 주정 부리시면 아무 데나 내려 드리겠습니다."

덕호는 고개를 흔들었다. 억울하지만 사납금을 채우기 위해 목적지까지 무사히 내려 주고 요금을 받아야 한다는 생각이 들었다.

"손님, 사모님이 기다리는 댁까지 잘 모시겠습니다."

"그래야지, 새끼야."

잠시 후 남자가 고개를 왼쪽으로 떨어트리고 일그러진 얼굴로 코를 고는 모습이 룸미러에 비쳤다. 덕호는 머리를 쭉 빼 자신의 얼굴을 룸미러에 비췄다. 팔자 주름 때문에 열 살은 더 들어 보였다.

'그래, 잘 참았어.'

덕호는 찌그러진 얼굴을 억지로 폈다. 어둠에 싸인 거리는 지나가는 사람 하나 없이 황량했다. 가끔 음식점에서 대로변에 세워 놓은 커다란 쓰레기 봉지가 택시를 기다리며 손을 든 손님처럼 보여 주춤했다가 다시 출발하기를 반복했다.

어머니는 지금쯤 무엇을 하고 있을지 오늘따라 생각이 많아졌다. 부업으로 숙련된 소매 뒤집기를 하면서도 머릿속으로는 먼저 간 남편의 제사상 앞에서 향을 피우고 예를 올리고 있을 것이다. 아이들을 돌보러 오는 날부터 어머니는 큰아들 집을 손님처럼 일 년에 세 번 갔다. 덕호는 자신이 돈 버는 것에 눈이 멀어 어머니를 아버지 제사에 모시고 가지 못한 것이 마음에 걸렸다. 일 년에 세 번 어머니는 형 집에 갔다. 두 번의 명절과 한 번의 아버지 기제사 때이다. 앞마당에 승용차를 두 대나 세워 둔 형은 오늘도 어머니를 모시고 가지 않았다.

"손님, 댁이 어디십니까? S동에 다 왔습니다."

"너 이름 뭐야, 회사 전화번호 대. 왜 깨워 마?"

이런 춥고 건조한 날씨에도 남자의 뭉툭한 콧부리에 개기름이 번들거렸다. 덕호의 왼쪽 뺨이 씰룩거렸다. 덕호는 신상이 적힌 판을 잡아떼어 뒷좌석에 집어 던졌다.

"여기 있으니 제발 나 좀 고발하슈. 세상 근심 없이 감방에 들어앉아 있고 싶으니, 제발."

덕호는 버럭 소리를 질렀다.

파출소에서 나오며 덕호의 왼손은 주머니 속 돈을 만지작거렸다. 파출소까지 남편을 데리러 나온 남자의 아내는 덕호의 덜렁거리는 오른팔과 얼굴을 번갈아보다 요금에서 만원을 더 얹어 내밀었다.

덕호는 언제나 사납금 때문에 마음이 바빴다. 덕호네 회사 모든 택시에 '택시 기사 항시 모집'이란 인쇄물을 뒷좌석 창에 붙이고 다녔다. 기사 수가 많아 세워 놓는 차가 없어야 사납금으로 고정 수입이 들어오기 때문이다. 회사에서 연료비를 부담하고 사납금 없이 버스 기사처럼 월급을 주는 전액관리제를 실시하는 회사에 취직하는 것이 덕호의 희망이었다. 성실하게 일하는 기사가 불성실한 기사의 봉급까지 책임진다고 싫어하는 사람도 있지만 취직하기를 원하는 신체 건강한 사람들도 넘쳐나니 덕호는 진작 희망을 버렸다. 보름 전에도 낡은 택시를 몰고 나갔다가 정비 부실로 도로에서 두 번이나 멈춘 적이 있었다. 견인차를 불러 회사로 입고하고 다른 택시로 바꿔타 사만구천 원의 모자란 사납금을 채워 넣었다. 그래도 덕호는 새 차를 거절했다. 새 차는 사납금이 추가되기 때문이다. 새 차의 사납금 인상이 노사 합의 사안이라고 했지만 노동자 대표가 왜 합의를 했는지 덕호는 의문이 갔다.

"오씨, 외팔로 운전하면서 차라도 말썽 없어야지."

그것이 덕호가 친형처럼 존경하는 박 형의 충고에 웃음으로 대신 답한 이유였다.

밖은 어둠 사이로 영업장의 불 켜진 간판만 칼바람을 이기고 서 있었다. 대다수의 빌딩 숲도 어둠과 함께 조용히 잠들었다. 처음 와 본 이곳이 택시 기사로서도 낯설었다. 덕호는 손님이 타기 전까지는 가야 할 목적지가 없었다. 그래서 택시는 거리에 버려진 장난감 차 신세가 되곤 했다.

'어디로 가야 하나, 어디로 가야 많이 기다리지 않고 손님을 태우고 달릴 수 있을까?'

그런 생각을 하니 갑자기 막막한 생각이 들었다.

얼마 전 노부부가 택시에 올라탄 후 한참 목적지를 정하지 못하고 망설인 적이 있었다. 덕호는 그들이 자신처럼 갈 곳은 없지만 어디로든 갈 수밖에 없는 상황 같다고 생각했다. 노부부는 여섯 자식 이름을 번갈아 입 밖으로 꺼냈지만 어느 자식 집에도 가지 못했다.

"젊은이, 서울역으로 갑시다."

기차역에서 사람 구경이나 실컷 하다가 가야겠다고 했다. 막내딸네 아이들을 키웠는데 다 커 버린 손주들이 자신들을 필요로 하지 않는다고도 했다. 더구나 막내딸 부부가 요즘 들어 싸움이 잦아지는 것을 보면 자신들 때문은 아닌지 불안하다는 것이었다. 한낮의 햇살이 무안할 정도로 노부부의 머리 위에서 찬란히 빛났다. 덕호는 노부부처럼 거리를 헤매는 자신이 공회전하는 기계 부품 같다고 느꼈다.

덕호는 요금 주머니를 열어 보았다. 한 탕만 더 뛰면 내일 연탄보일러 고칠 비용은 될 듯했다. 택시 탄 손님이 요행히 장거리 손님이라면 통장에 잔고도 남을 것이다. 내년 봄에 중학교에 입학할 큰아들놈을 위한 통장 잔고가 그대로인 것도 덕호의 마음에 걸렸다. 자정을 넘은 시각이었다. 점심으로 먹은 빵과 우유가 그대로 명치끝에 매달려 있었다. 자정이 넘은 시각에 서울역으로 가면 장거리 손님을 만날 확률이 높았다. 덕호는 유턴을 했다. 연료 계기판 바늘은 바닥을 가리키고 있다. 가스를 주입하면 고장 난 연탄보일러 수리비는 사라질 판이었다. 또 오른팔이 송곳으로 쑤시는 듯 아파왔다. 덕호는 무의식적으로 오른팔을 흔들었다. 속이 텅 빈 점퍼 소매가 덜렁거렸다. 갓길에 차를 세웠다. 물통은 비어 있었다. 덕호는 한참 입안에 침을 그러모아 진통제를 삼켰다.

서울역으로 가던 중간쯤 인적 없는 도로에서 여자 둘이 손을 흔들었다. 그들은 추운 날씨에 허벅지를 드러낸 짧은 스커트를 입고 있었다. 우악스런 남자 손님이 아닌 것이 다행이라고 생각했다. 언젠가 여성 취객이 가는 내내 통곡을 하던 기억이 스쳤다. 그래도 다행인 것은 두 사람이라는 점이었다. 차 문을 열고 닫기도 어려울 정도로 바람이 심한 야밤에 혼자 손을 들었다면 사납금이고 뭐고 지나쳤을 것이다. 얌전한 여자 손님이었으면 하는 기대감으로 차를 세웠다. 택시에 타기 전, 그들은 얌전해 보였지만 택시에 올라탄 그들은 얌전하지 않았다. 술에 취해 몸을 가누지 못하고 몸을 흔들거렸다. 덕호는 역시 아버지 제사에 가지 못한 대가를 받고 있는 것이라 생각했다.

"어디로 모실까요?"

"우리 어디로 가야 하는지 아니, 너?"

"몰라, 너도 나도 모르면 기사님이 아실까? 우리 어디로 가면 될까요?"

타이어가 노면에 닿으며 나는 소음 때문에 여자들의 혀 꼬부라지는 소리가 귀에 잘 들어오지 않았다.

"내가 뭘 어쨌다고, 되는 일이라곤 하나도 없어."

순간 덕호는 깜짝 놀랐다. 자신이 억울하다고 느낀 순간 자신의 입에서 어머니가 늘 하던 말이 튀어나왔다. 그런 자신이 우스워 피식 웃음이 나왔다. 덕호는 어머니도 외롭고 억울할 때 세상에게 하는 말이라는 것을 알면서도 짜증으로 받아쳤던 생각이 나자 목울대가 묵직해졌다.

덕호는 밖의 날씨만큼 추운 집을 떠올렸다. 일찍 철이 든 두 아들은 보호자처럼 외팔이 덕호를 챙겼다. 덕호는 먹고, 입고, 하고 싶은 마음을 감추고, 힘든 내색 한번 없는 아이들이 대견했다. 진통제 먹는 횟수가 늘고 잘려 나간 팔이 아파도 참을 수 있는 것이 다 그놈들 덕분이라고 생각했다. 덕호는 점점 흐려지는 어머니의 정신이 안타까웠다. 자신이 못 볼 것을 너무 많이 보여준 탓이라 생각했다. 그래서 어머니가 더는 보고 싶지도, 알고 싶지도 않아 정신을 놓는 것이 아닌지 자책이 들 때마다 어머니 얼굴을 마주하기가 어려웠다.

덕호는 여자들에게 태웠던 곳에 다시 내려 준다고 으름장을 놓았다. 여자들은 그럴 수 있으면 그렇게 해 보라는 듯 비웃음으로 답을 했다. 갈 곳이 없다면 방법은 하나였다. 목적지가 없는 사람은 파출소가 목적지였다.

"손님, 목적지를 모르니 더는 갈 수가 없어요. 파출소로 갑시다."

두 여자는 잠잠했다. 잠시 덕호는 생각에 잠겼다. 파출소는 멀지 않은 곳에 있으면 좋겠다는 생각을 하는데 뒷자리에서 갑자기 손이 날아와 뒤통수를 후려쳤다.

"왜 뺑뺑 돌아?"

덕호는 뒷목이 뻣뻣해졌다. 갑자기 벌어진 일 앞에 차를 세울 수도 없었다. 항의를 하려고 뒤를 돌아보니 두 여자는 다시 코를 골고 있었다.

"내가 뭘 어쨌다고, 되는 일이라곤 하나도 없어."

덕호는 소리를 질렀다. 차 안에는 또 정적이 흘렀다.

덕호는 택시 기사는 쉽게 취직 할 수 있는 반면, 쉬운 일은 아니라고 생각했다. 자신의 반대 차선에서 내쏘는 불빛이 마치 자신의 억울함을 기억하기 위해 쏘는 불빛이라고 믿고 싶었다. 한 여자가 갑자기 눈을 떴다.

"천호동으로 가."

여자는 천호동이 모두 제 집인 양 말하고 또 코를 골았다. 덕호는 술에 취한 여자 말을 듣고 천호동으로 갈 것인지 잠시 망설였다. 천호동이면 차를 입고할 회사와도, 집과도 반대 방향이었다. 동사하기 쉬운 깊은 밤이라 아무 데나 내려줄 수는 없는 일이었다. 말도 통하지 않는 취객을 태운 자신이 잘못이라는 생각을 했다.

덕호는 제 탓을 하며 천호동으로 가기 위해 우회전을 했다. 천호동이 가까워지자 인기척이 완전히 없어졌다. 야간 운행 시 깨운다고 잘못 신체 접촉이라도 하면 성추행 범으로 오해 받을 수도 있었다.

덕호는 이럴수록 정신 차리고 제일 가까운 파출소로 가야할 것 같아 눈을 도로변으로 두었다. 그래야 요금도 받고 여자들도 안전할 수 있을 것이라고 생각했다.

만 원짜리 두 장을 구겨 넣고 파출소를 나와 목적지 없이 거리를 달렸다. 손님을 태우지 않으면 덕호는 목적지가 없었다. 새벽녘이 되자 바람은 더욱 세찼다. 덕호는 어서 집에 들어가 허리를 펴고 눕고 싶었다. 아무리 연탄보일러가 고장 났다고 해도 어머니와 아이들이 기다리고 있는 집으로 가고 싶은 생각이 간절해졌다. 그러나 한 탕만 더 뛰면 사납금은 무사히 채우고 보일러도 고치게 될 거라는 미련이 남았다.

이상하게 오늘은 세상에게 버림받은 날 같다는 생각이 가슴을 싸하게 했다.

"씨발, 내가 뭘 어쨌다고."

덕호는 어머니가 된 듯 반복해 중얼거렸다.

아무리 오랜 시간 거리를 달려도 눅눅한 지하 방을 면할 수 없다는 것이 슬펐다. 어머니를 언제까지 이렇게 모셔야 할지, 시간을 돌려 사고를 당하기 전으로 돌아갈 수는 없을지, 언제까지 돈을 벌기 위해 야간 주행을 하며 취객들에게 시달림을 당해야 하는지 막막했다.

얼마 전까지 변두리에서 금은방을 하던 김 씨도, 괜찮은 회사에서 근무를 했다던 서 씨도, 식당을 운영하다 접었다는 이 씨도, 택시 기사로 재취업을 했다. 그들은 늘 택시 회사를 집어치울 것이란 말을 입에 달고 다니면서도 운전대를 놓지 못했다. 자본도 안 들고 재취업도 쉽다는 이유에서였다. 취객들은 나라가 불황이어도, 제 자녀가 결혼에 실패해도, 자녀가 공부를 못해도, 부부 싸움을 해도 택시 기사가 그렇게 만들었다고 생각하는지 기사에게 행패를 부리고 화풀이를 했다.

덕호는 답답함에 차창을 내렸다. 차디찬 바람이 얼굴을 때려 급히 창을 다시 올리는데 전화벨이 울렸다. 덕호는 두 아들을 떠올렸지만 너무 늦은 시간이었다. 갓길에 차를 세우고 전화

번호를 확인했다. 모르는 번호였다. 덕호는 잠깐 망설이다 혹시 경찰서에 갔던 일 때문이 아닐까 싶어 전화를 받았다.

"아저씨, 저 좀 태우러 오시면 안 될까요? 저 오늘부터 단골하자던 사람입니다. 낮에 탔던. 참, 요금은 걱정 마시구요. 낮에 제대로 못 드린 것까지요."

덕호는 망설였다. 혹시 갔다가 요금이 없다거나 더 큰 혹을 붙이면 어떡하나 싶었지만 젊은 남자 말대로라면 오늘 제대로 마무리할 수도 있다는 생각에 반가웠다.

"아저씨, 못 오시는군요. 너무 멀리 가셨나 봐요?"

"아, 아니요. 지금 갈게요. 낮에 갔던 그 병원 맞지요?"

덕호는 단골이라는 말에 가슴이 벅찼다. 차를 돌려 어둠 속을 내달리는 기분이 첫 손님을 태우러 가는 듯 가벼웠다.

젊은이는 다행히 여자 친구가 급한 고비는 넘겼다고 싱글거렸다. 덕호는 젊은이를 내려 주며 낮에 못 받은 요금까지 받고 돌아섰다.

새벽 네 시, 덕호는 곱은 손으로 열쇠를 몇 번 떨어뜨린 후 철문에 열쇠를 꽂았다. 새벽 공기가 뼛속까지 시렸다. 북창인 방범창 사이로 얼마 전 내린 눈이 아직 녹지 않고 쌓여 있었다. 창틀에 쌓인 눈이 집 안의 냉기를 보탤 것 같은 엉뚱한 생각에 덕호가 손으로 눈을 털었다. 손가락 끝이 칼날에 베인 듯 아려

왔다. 현관문을 열었다. 작동이 멈춰 선 연탄보일러 때문에 집 안은 밖의 온도와 비슷했다. 전등 아래 적나라하게 보이는 부엌은 마치 덕호를 나무라듯 어수선했다. 뚜껑을 덮지 않은 반찬 그릇에서 시큼한 김치 냄새가 코끝을 자극했다.

어머니는 아직 소매 뒤집기 부업을 하고 있었다. 산더미같이 쌓아 놓은 옷가지 옆에 쪼그리고 앉아 열심이었다. 그런 어머니가 마치 봉재 인형처럼 보였다.

"주무시지, 지금이 몇 신데 청승맞게."

덕호는 자신이 들어오는 시간 전에 어머니가 잠들어 있기를 늘 바랐다. 차라리 두 아들처럼 잠들어 있다면 안쓰러운 마음을 감추기 위해 무심한 척 하지 않아도 되었다. 남편 제사에도 초대 받지 못한 어머니는 덕호가 온 것을 알기나 하는지 능숙한 손놀림으로 계속 소매를 뒤집었다.

형은 네가 오지 못할 형편이면 어머니와 네 아이들을 데리러 가지 않을 것이라 했다. 추운데 온들 달라질 게 뭐냐고, 형수와 간단하지만 정성스레 제사 지내겠다고 했다.

어머니가 가진 모든 것을 받아 챙긴 형이었다. 어머니는 형을 보고 싶어 하지만 형은 바쁘다는 핑계로 두 번의 명절과 아버지 기제사 때만 어머니를 모셨다. 덕호는 어머니가 형에게 그런 대접을 받는 게 제 탓인 것 같아 마음 한편이 무거웠다.

어머니는 여전히 입을 꾹 다문 채 바닥으로 스며들어 마침내 사라질 것처럼 쪼그리고 앉아 손을 움직였다. 입가에 굵은 팔자 주름이 물길처럼 깊어 보였다. 덕호는 무슨 말이라도 해야 될 것 같았다.

"연탄보일러 전원은 왜 꺼서 이 지경까지 만들어요? 정신 좀 차립시다. 정신 좀."

어머니는 덕호가 말을 끝내자 고개를 들었다. 초점 잃는 눈동자가 떨렸다.

"내가 뭘, 뭘 어쨌다고 지랄들이야?"

어머니의 얼굴은 말과는 달리 역정이 나지 않은 얼굴이었다. 덕호는 주머니를 뒤져 동전까지 끄집어 돈을 방바닥에 펼쳐 놓았다. 사납금을 제하고 오만구천 원이었다. 막판에 단골 덕분이라 생각했다. 날이 밝는 대로 연탄보일러 수리공을 불러야 했다. 덕호는 삼만 원을 한 쪽으로 밀어 놓았다. 큰놈 차비와 작은놈 준비물 값을 위해 오천 원을 밀어 놓고 이만사천 원을 어머니 손에 쥐어 주었다. 어머니는 돈을 처음 보는 사람처럼 한참 쏘아보다가 내복 안에 매단 속주머니에 밀어 넣었다. 덕호는 어머니를 모시고 들어가 자리를 깔고 뉘였다. 반듯하게 누운 어머니의 목까지 이불을 끌어 올려 덮었다. 어머니는 눈자위가 푹 들어가 고단해 보이는 눈을 껌벅거리는 것도 힘에 부친 듯 이내 눈을 감았다. 곧 어머니의 입이 벌어지더니 죽은 듯 조용해졌다.

덕호는 자는 두 아들 옆으로 가 벽을 보고 누웠다. 고단함이 밀려왔다. 눈을 감았다. 말라 가던 오른팔에 뼈가 점점 자라고 근육과 살이 붙었다. 다섯 마디의 손가락이 움찍거리며 자라고 있었다. 제대로 된 팔을 허공으로 쭉 뻗어 원을 그리고 또 그렸다. 커다란 원 안으로 아이들과 노모가 들어오고 집 나간 아내가 나풀대며 들어와 웃었다. 덕호는 제 새끼 서방 버리고 팔과 바꾼 돈을 들고 제 한 몸 잘 살아 보자고 나간 아내가 밉지 않은 것이 신기했다. 아내의 몸은 기억나지 않았다. 그런데 웃는 입매는 또렷이 기억났다. 원의 개수가 점점 늘어나 택시에 올라탔던 모든 이가 미소를 짓고 원 안으로 들어왔다. 등줄기가 따뜻해졌다. 덕호는 계속 눈을 감았다. 눈을 뜨면 모두 사라져 버릴 것 같아 억지로 눈꺼풀을 붙이고 있었다. 가물거리는 의식 속에 덕호의 귀에 누군가가 '안녕, 택시 드라이버' 라고 속삭였다.

터널 속의 고립된 자아들

신상조(문학평론가)

1. 전도된 일상 속에서의 가족과 나

소설적 미학에 관한 대담의 자리에서 밀란 쿤데라는 자신의 소설이 "덫이 되어 버린 세계 속에서 인간의 삶이 무엇인가를 탐구하는 것"이라고 설명한다. 이 지구상에서 일어나는 어떠한 일도 더 이상 국지적인 것일 수 없다는 사실, 모든 재앙은 전 세계에 파장을 미치게 된다는 사실, 따라서 사람들은 점점 더 외부에 의해, 어느 누구도 빠져나갈 수 없고 또 점점 더 서로를 닮아 가게끔 만드는 상황에 의해 운명이 결정되리라는 것이야말로 공포임을 그는 본인의 글쓰기를 빌어 웅변적으로 말해 준다.

그러나 누구라도 겪고 있고, 또 다른 이들 역시 겪을 만한 고통이라면 거기에는 다수에 속한 일인이라는 일말의 위안이 없을 수 없다. 진정한 공포는 '나'의 비극이 오로지 나만의 것이며, '나'는 아무도 모르게 혼자서 고통을 겪고 있는 평범한 개인이라는 데서 온다.

이선우의 소설에 나타나는 평범한 개인이 겪는 '나만의 고통'은 바로 「동거」에 등장하는 '아이'에게서 확인된다. 결혼식도 올리지 않은 채 살아가는 부부와 그들 사이에서 태어난 아이는 재개발이 막 시작되려 하는 동네의 반지하 빌라에서 부모와 함께 살고 있다. 아이의 아버지는 집에서 버스로 다섯 정거장 거리에 있는 '닭장'에 취직해 돈을 벌고 있다. 그가 하는 일은 "닭똥을 치우고 먹이를 주고 닭을 사러 오는 사람들에게 생닭을 잡아" 파는 일이다. 그런 아버지를 둔 아이에게 반 친구들은 "닭똥 냄새가 난다고 옆에 오지도 못하게" 한다. 하지만 아이는 그런 고통쯤이야 '남자'가 가하는 물리적이고도 정신적인 폭력과, 그로 인한 공포에 비하면 아무 것도 아니라고 느낀다.

남자는 아이의 집에 세를 든 사람이다. "예전에 한 동네에서 살던 아저씬데 우리 집 근처 공사장에서 일하게 되셨대. 방세라도 받아 보태라고 사정하네요. 당분간 한집에 살게 됐어요."라고 엄마의 설명은 간단명료했지만, 남자를 대하는 엄마의 주눅 든 태도는 어딘지 께름칙하다. 처음에 남자는 씩씩하고 자상한 사람이었다. 마음이 착하다 못해 물러 터진 아빠를 대신해서 동네 사람들과의 불쾌한 일들을 척척 해결해 주는 남자가 아이는 고맙고 믿음직스럽기까지 했다. 그러나 시간이 지날수록 거칠고 잔인한 본색을 드러내기 시작하던 남자는 급기야 가족들 위에 폭군처럼 군림하기 시작한다. 집에 남자가 온 뒤로 마을을 산책할 때도 기를 펴고 걷던 가족은 남자 앞에서 밥 먹는 일조차 눈치를 보게 되는 지경에 이른다.

이들 가족이 겪는 고통은 얼핏 일가족 세 명이 한 명의 불청객에게 당하는 집단 성원들의 수난으로 비치기 십상이다. 집단이라고는 하지만 사회 내에서 의존하며 살아가기에 혈육으로 맺어진 가족만큼 강력한 인간관계도 없다. 부모가 어린 자식을 보호해야 한다는 가족 윤리는 당연하거니와, 이들 셋은 동질감과 유대감으로 뭉쳐서 남자에게 저항해야 마땅하다.

하지만 셋은 '홀로' 외롭고 고통스럽다. 무슨 이유에서인지 아내는 남자한테 '끌려다니는' 처지다. 유약한 남편은 남자와 아내 사이가 석연치 않지만 그것을 대놓고 물어볼 용기가 없다. 신뢰감을 상실한 부부 사이에 공감과 유대 의식이 생길 리 만무하다. 그런 부부이다 보니 그들은 아이에게 부모로서 최소한의 보호자 역할조차 해 주지 못한다. 선생님이 "집 안에 있어도 안전하지 않다고 생각하는 사람 손 들어 보세요."라고 물어 주길 간절히 바랄만큼 집이 두렵게 느껴지는 아이에게, 부모는 불신과 미움의 대상이거나 자신만큼 연약하고 겁에 질린 존재이다. 자신이 보는 앞에서 남자에게 못 이기는 척 다리를 벌리는 엄마가 아이는 밉고 싫다. 방과 후에 가는 태권도 도장에서 이단옆차기를 힘껏 해 보고, 남자를 닭장에서 본 탈모기에 고꾸라뜨리는 상상을 하며 남자에게의 복수를 꿈꾼다. 아이는 도끼 칼로 닭 대가리를 내리치듯 아빠가 남자를 혼내 주면 좋겠다고 날마다 바라지만, 겁먹은 아빠의 비겁한 태도를 끝끝내 확인하게 될까봐 그것이 또 두렵다.

아빠는 남들이 말하듯 바보는 아니었다. 그러나 아빠를 아는 모든 사람들은 아빠를 바보라고 했다.

"등신 같은 놈."

언제부턴가 남자가 아빠를 부르는 호칭이었다. 남자가 아빠를 그렇게 부를 때마다 아이는 남자의 입을 틀어막고 싶었다.

아이는 평화롭게 웃는 아빠를 바라봤다. 남자가 눈을 이글거리며 자신의 몸을 훑고 지나갔다고 말 할 수가 없었다. 남자를 밀어내면 매도 맞는다는 말조차 하지 못했다. 공포와 분노가 심장까지 닿아 터져 버릴 것 같아서였다. 그런 말을 한다면 아무리 바보등신 같은 아빠라도 남자에게 일격을 날릴 것이고 아빠는 남자에게 흠씬 매를 맞을 것이다. 그것보다 겁먹은 아빠가 아무런 행동도 하지 못한다면 아이는 아빠마저 미워질 것 같아 겁이 났다. 아이는 비닐하우스를 통해 들어온 여름 해가 눈 부셔 눈을 감아버렸다. 눈을 감았는데도 동공 속에 들어찬 강렬한 빛은 계속 눈을 뜨겁게 만들었다.

-「동거」

일찍이 한국 현대소설에서 '집'은 비근대적인 것과 근대적인 것이 공존하는 장으로서, 세대 간의 갈등을 드러내는 역할을 주로 담당했었다. 예컨대 '가족사 소설'이라고도 불리는 일련의 소설들은 가족 공동체 내부의 갈등 양상에 주목함으로써 당대 사회의 모순적 측면을 밀도 있게 형상화했다. 집을 배경으로 한 가족은 근대적 세계의 축소판이라고 할 수 있으며, 가정 내에서 벌어지는 다양한 갈등은 한 가족의 개별적 문제를 넘어 사회·역사적 맥락을 담게 되었던 것이다.

이선우 소설의 특징은 이러한 자연적 범주로서의 가족을 축조하지 않는다는 점이다. 각각의 주체들은 가족이라는 공간 속에서 갈등하고 화해하는 관계를 맺기보다는 '가족'이라는 전망을 포기함으로써 가까스로 정체성을 획득한다. 자식을 갖거나 아내와 사랑을 나누는 일에 비정상적이리만치 무관심한 남편(「키사텐의 모닝 세트」), 남편의 보상금을 가지고 집을 나간 아내로 말미암아 어려움에 직면한 가족들(「택시 드라이버」), 엄마를 도둑으로 몰아간 딸과 그 딸을 학대하듯 살아가는 어머니(「그 여름의 윤혜어」), 주검을 만지는 일로써 살아 있는 가족은 물론이고 자기의 삶조차 회피하며 살아가는 아버지(「관」) 등, 이선우 소설의 가족은 적정한 수준을 넘어선 과잉 해체의 양상을 띤다.

「동거」에서의 '가족' 역시 가족 공동체로서의 의미를 지니지 못한다. 소설이 진행되는 동안 인물들의 삶은 집이라는 공간을 거의 벗어나지 않지만 가족 구성원으로서의 성격은 철저히 결여하는 모습을 보인다. 아내의 경우, 그녀는 집단 내부에서 외부의 위협을 끌어들임으로써 안전의 경계를 허물어뜨리는 애매한 사람이다. 남편은 남자에게 권리를 내세우거나 어떻게 행동할 것인가에 대해 가장으로서의 명확한 지위를 보여 주지 않는다. '집은 가족의 쉼터이므로 편안하고 안전한 곳이어야 한다.'는 담임선생의 말을 떠올리는 아이는, 그러므로 부모가 있는 집에서 오히려 안전을 잃는다.

초대 받지 않은 채 외부에서 들어온 사람은 내부 사람들의 자신감을 잃게 하는 힘을 자신이 가지고 있다고 생각하면서 성공을 거둔다고 한다. 그러한 외부 사람에 해당하는 남자로 인해 가족은 안락함을 방해 받는다. 결국 초식 동물처럼 순한 가족들에게 집은 평온한 일상을 보장하기는커녕 육식 동물 같은 남자의 폭력에 점점 굴복하거나 길들여지는 공간이다. 남자의 권위에 도전하는 아이의 반항이나 분노만으로는 충분히 설명되지 않는 부부의 비굴하고 부당한 굴종은 이들 가족의 암울한 미래를 짐작도록 하기에 충분하다.

서술자의 서술이 끝나고, 불편하고 혼란스러운 독서 여행 끝에 일상이 파괴된 가족의 무력함이 이제 독자의 몫으로 남는다. 혈연의 범위 내에 있는 가족조차 일상을 전도시킨 공포에 맞서 싸울만한 의지나 능력이 전무하다는 사실, 나아가 삶이 불안할 때 가족조차 울타리가 되지 못하는 이들의 '무능한 고립'을 우리는 어떻게 받아들여야 할까?

「동거」는 신뢰할 수 없는 서술자인 아이의 시점으로 불안과 공포를 극대화할 뿐, 그 이상의 어떤 논평이나 설명을 곁들이지 않는다. 독자들로 하여금 폭력에 노출된 가족과 그들의 파괴된 일상을 경험하게끔 만들었지만, 가족의 역할에 대한 판단이나 평가를 아직은 유보한다는 듯이.

2. 허위와 기만으로 구축되는 일상

한편으로 이선우의 소설에서 인물들이 구가하는 일상의 질서와 평화는 매우 기만적으로 구축된다. 「키사텐의 모닝 세트」에 등장하는 자매를 살펴보자. 주인공인 '나'의 언니는 남편이 죽은 후, 현실을 탈출하기 위해 일본으로 만화를 배우러 간다. 그러다 그녀는 만화를 배우다 만난 일본인과 식당을 경영

하며 아예 그곳에 눌러앉고 만다. 언니의 전남편은 회사의 불미스러운 일에 관련된 채 자살을 했었다. 남편이 죽고 나서야 그녀는 그동안 남편이라 믿어 왔던 그의 모습이 완벽히 허상이었음을 깨닫는다. 이처럼 언니가 허깨비에 불과했던 남편을 남편으로 알고 살았다면, '나'는 남편과의 암묵적인 동의하에 그야말로 겉모습만 멀쩡한 부부 관계를 유지하고 있다. "단정한 말투"는 있지만 "다정함을 느낄 수는 없"는 남편은 마치 외국 바이어를 대하듯 '나'를 대한다. 그리고 차갑지만 사회적 의무를 다하는 남편을 향한 자신의 "젖은" 마음을 들키지 않으려, '나'는 배우처럼 "연극"을 하며 살아간다.

이선우 소설의 인물들은 '거짓'이야말로 견고한 일상을 유지할 수 있는 '참'임을 잘 알고 있다. 대표적인 인물로 「그 여름의 윤혜어」 주인공인 '나'가 있다. '나'는 어린 시절 자신이 한 엉뚱한 거짓말로 인해 엄마가 도둑으로 몰린 과거를 가지고 있다. 철부지 딸이 씌운 누명을 벗기 위해 엄마는 '윤혜어'에 모인 동네 여자들 앞에서 빙초산을 마시면서까지 결백을 주장한다. 그리고 그 후유증으로 영원히 불구가 되고 만다. 이후로 자신의 삶을 망가트린 자식을 증오하며 살아가는 엄마는 '나'가 하는 말들을 전부 거짓말이라 치부하며 살아간다.

되짚어 보자면 '나'의 거짓말은 엄마의 거짓말이 원인이다. "거짓말의 시작은 그 여름 햇볕이 파고들던 윤혜어에서 시작되었고 아직 그 끝에 도달하지 못했다."라는 소설의 첫머리는 거짓말의 기원이 거짓말임을 잘 말해 준다. 아버지가 입원한 병원에 따라가려는 자신을 따돌리기 위해 엄마는 언니와 짜고서 번번이 '나'를 속인다. 윤혜어에서의 '나'의 거짓말은 실상 엄마가 잘하는 행위, 즉 '거짓말하기'를 모방한 것에 불과했다.

하지만 처음의 이 서투른 모방은 공개적으로 문제가 드러나면서 아이러니하게도 '나'의 삶에 깊숙이 자리 잡는다. 자신의 거짓말이 몰고 온 파장에 놀란 '나'가 뒤늦게 거짓을 거짓이라 밝힘으로써 진실을 회복하려하지만, 사람들은 '나'의 진정성을 인정하지 않는다. 오히려 '나'가 자기의 행동을 설명하면 할수록, 엄마는 뒤에서 어린 딸을 사주하는 사람으로 몰리며 적개심을 불러일으키는 공격의 대상이 될 뿐이다.

트라우마(trauma)란 부정적인 기억이 내면화하면서 당시의 정신적 아픔을 반복하는 경향을 일컫는 말이다. 저 윤혜어에서의 사건은 이 소설을 이끌어가는 모티프인 동시에 '나'의 정신적 외상을 의미하는 트라우마로 표출된다. 무엇보다 윤혜어에서의 사건을 통해 '나'가 깨달은 것은 '거짓말과 참말'의 규정은 말하는 사람이 아니라 듣는 사람이 한다는 모종의 '진실'이다. 결과적으로 '나'에게 말이란, 거짓과 진실에 앞서 상황에 따른 판단의 결과물로 언제나 기능한다. 어린 시절에 '나'가 한 거짓말이 엄마와 그녀의 삶을 철저히 망가뜨렸다면, 망가진 삶을 추스르게 만든 방도도 거짓말이 아니던가.

과연 현재의 '나'는 엄마의 오랜 믿음을 완성하며 현실에서 정말 거짓말쟁이가 되어 있다. 거짓과 참의 경계에서 줄타기 하듯 살아가는 '나'는 딸을 거짓말쟁이로 여기는 엄마가 차라리 속 편하기까지 하다. 자기가 무슨 말을 하든 어차피 거짓말이라 믿을 테니, 밝히기 힘든 진실도 거침없이 말할 수 있다는 식이다.

> 윤혜어에서 생긴 일을 보면 거짓말과 참말은 말하는 사람이 아닌 듣는 사람이 규정 한다는 것을 알았다. 내가 한 말은 거짓말이었다고 아무리 사정해도, 이미 듣는 사람은 믿고 싶은 대로 굳게 믿었다.
>
> "결혼하지 말고 그냥 합쳐 살자고…… 절차와 관습이 뭐 대단한 거라고. 나는 평생 너를 내 가족처럼 지켜줄 수 있는데 결혼은 진짜 부담 돼. 결혼은 가장 어려운 거잖아. 가장 쉬운 것부터 해보고 괜찮으면 어려운 것까지 하자."
>
> 나는 K의 말에 대답하지 못했다. 그동안 나는 그에게 유일하게 참말을 했다. 그런 사람을 떠나보내고 싶지 않아 진지한 거짓말을 모색 중이었지만 그 뒤 K는 더는 내 앞에 나타나지 않았다. 평생 내가 벌어 먹여 살릴 수도 있다는 둥, 한눈에 아랫동네가 훤히 내려다보이고 손을 뻗으면 별이 닿을 것 같은 높고 근사한 곳이 우리 집이라는 둥, 바닷물을 가두어 언제든지 바다 속으로 들

어갈 수 있는 곳이 우리 집이라는 등, 참말과 거짓말 사이의 미묘한 경계에 있는 거짓말을 그에게 했었다. 이제는 내가 하는 일상에 난무한 거짓말을 어떤 한 사람 앞에서는 멈추고 싶었다. 내가 아직 그런 희망을 가지고 있다는 것은 다행이었다. K와 헤어지기 며칠 전, 그의 침대 시트 위에 나에게서 나온 많은 것들이 흩어져 있듯이 내 것이 아닌 예쁜 비즈가 장식된 여자 머리띠와 스타킹을 발견했다. 나는 그때 K 몰래 그것을 침대 밑으로 밀어 넣었다.

-「그 여름의 윤헤어」

남자친구인 K에게만 "유일하게" 참말을 해 봤다고 고백할 정도로 '나'는 거짓말이 몸에 밴 여자다. 그런데 '나'가 K에게 거짓말을 하지 않은 결과는 그가 '나'와 거리를 두는 것으로 돌아온다.

'나'는 학습지 교사다. 그녀는 만약 자기가 이런저런 거짓말로 회원들을 관리하지 않는다면 휴회하는 회원이 속출할 것이라고 단정한다. "유라의 교재를 잘못 가져갔다. 전날 마신 술탓이라 생각했다. 나는 유라가 학습 능력이 빨라 난이도가 한 단계 높은 테스트용 학습지를 가져왔다고 거짓말을 했다. 논술 부교재를 빠뜨리고 갔던 주택가 아이한테는 회사에서 교재 연구 결과 기존 학습지에 첨가할 부분이 있어 검토 중이라고 둘러댔다. 다음 주면 정상적인 교재를 사용하게 될 거라고 했다. 거짓말이 술술 나왔다."라는 대목에서 보다시피, 그녀의 일상은 거짓말로 점철되어 있다.

그녀가 보기에 배우는 아이들이나 그 학부모들의 거짓말도 일상적이기는 마찬가지다. 답지의 답을 그대로 베껴 놓고 풀이 과정은 다른 종이에 써 놓았다고 우기는 성희, 과제를 하지 않았으면서 번번이 교재를 잃어버렸다고 둘러대는 종찬이, 서명한 회비 봉투를 분실했다며 이번 달 회비를 냈다고 우기는 정우엄마 등, 거짓말의 주체는 그녀 한 사람으로 국한되지 않고 '나'가 경험하는 인간관계 속 어디에나 포진해 있다.

이렇듯 '나'가 자신의 모럴(Moral)을 의식하는 '자기 관찰'은 그녀가 날마다 대하는 어머니나 회원들의 비도덕적인 면을 확인하는 과정을 통해 진행된다. 결국 거짓말은 '나'가 상상하거나 엿볼 수 있는 삶의 전형적인 이미지를 이룬다. '나'는 자신이나 타인의 일상이 거짓말이라는 구조물로 촘촘히 구축되어 있으며, 사람 사이의 소통과 유대를 가능케 하는 선한 동력이 원천적으로 부재한다는 부정적인 인식에 이르고 만다.

일상생활에서의 인간 행동은 만족을 증진시키려는 욕구에 따라 전개되거나 고통을 줄이려는 노력으로부터 생겨난다. 그런 맥락에서 상처 받은 주체는 기억 저편에 새겨져 있는 상처 받은 정신의 회복을 갈구하기 마련이다. '거짓말의 끝에 도달하고자 오늘도 거짓말을 한다.'는 소설 도입부에서의 고백은 아마도 참이겠다. 하지만 '거짓말'로 말미암아 고립된 개인의 유아론적 자기 확인은 인간 이해와 삶에 대한 지향을 왜곡된 방향으로 지시한다. 요컨대 '나'의 거짓말은 일상생활에서의 비극을 줄이려는 정당하고도 실존적인 욕구의 표현에 다름 아니다. '나'가 "일상에 난무한 거짓말을 어떤 한 사람 앞에서는 멈추고" 싶어 하면서도 K의 여자관계를 외면하는 장면은 '거짓의 지속'이 삶의 가능성을 열어 두는 장치임을 아프게 예시한다.

3. 메타포로 쓰는 소설

소설은 정밀하게 고안된 언어적 장치들로 이루어진 픽션이다. 이 인공적인 장치들은 독자들의 정서적 감응을 겨냥함과 동시에 서사가 문맥 속에서 필연성을 갖추도록 하는 역할을 담당한다. 여기에는 작게는 미학적이고 명료한 문장 단위에서부터, 크게는 전체적이고 온전하게 작품을 그려낼 수 있는 작가의 능력이 요구된다. 작품의 제반 요소들이 긴밀하게 연결되면서 의미를 확충해 나가는 문학적 장치들 중에서도 메타포는 거미줄처럼 직조되는 언어의 그물망 속에서 드러나는 의미의 가시적 형상화라고 할 수 있을 것이다. 그리고 이선우의 소설은 그러한 메타포에 강하다. "신호등이 없는 건널목 앞에서 비보호 좌회전을" 해서 집으로 돌아가려다 낭패를 겪는 「비보호 좌회전」의 주인공은 연민을 불러일으키는 삶 그 자체가 제목에 명시된 '비보호' 그대로이고, 「키사텐의 모닝 세트」에서는 외부 세계와 단절된 인물의 폐쇄성을 보여주듯 '나'의 새 형부가 '탈'을 수집한다.

그중에서도 이선우 소설의 메타포는 「깃발이 운다」에서 가장 쉽고 선명하게 확인된다. 이 소설은 외국인 노동자들에 대한 처우를 응시함으로써 중심인물의 시민적 무관심을 부각시키고 있는데, 작가는 세 종류의 깃발이 가지는 각각의 의미 축을 따라 이야기하고자 하는 바를 설득력 있게 전개해 나간다. 소설 속의 깃발은 '아버지의 삼각 깃발'과 서술자인 '나의 야광 깃발', 그리고 소설의 주변부 인물이자 불법 취업 외국인노동자로 등장하는 '수난다와 안주라마의 파르초'로 나뉜다.

> 숙소 안은 이불이 어지럽게 널브러져 있었다. 자신들의 처지를 달래며 먹었는지 소주병이 흩어져 있었다. 벽에는 경전을 적어 넣은 색색의 삼각 깃발 사진이 벽 한 면을 차지하고 있었다.
>
> "저 파르초가 우리를 지켜 줄 거다."
>
> 팔락이는 파르초를 바라보는 수난다의 눈이 그윽했다. 내 감정이 뒤엉켜 소용돌이치듯 사진 속 파르초도 세찬 소용돌이 속으로 빨려 들어갈 것 같아 보였다. 새파란 하늘에 하얀 구름이 떠

있는 배경에 색색의 깃발이 뿜는 신성한 기가 그들뿐만 아니라 나에게도 들어올 것 같았다. 그런 생각이 들자 깃발을 보는 것만으로도 위안이 되는 듯 했다. 순간 수난다와 안주라마가 파르초의 기를 받아 나에게 마음 놓고 난폭해질 수 있기를, 그래서 저들이 조금이라도 울분을 삭일 수 있기를 바라는 마음이 간절해졌다.

한참 아버지가 깃발을 흔들 무렵이었다. 텔레비전 화면에 시원하게 티베트의 파르초가 나부끼고 있었다. 멀리 설산이 펼쳐져 있고 파르초가 바람에 휘날리는 화면 속 풍경이 장관이었다. 해발 4,200m의 세계에서 가장 높은 마을, 티 하나 없는 하늘에 유채색 파르초가 모든 근심을 잠재울 듯 나부낄 때마다 색색의 과일 향이 배어 나올 것 같았다. 똑같은 깃발인데 아버지의 깃발과 의미가 달리 다가왔다. 아버지의 깃발은 오너라, 가거라, 하거라, 말거라, 명령 수단일 뿐이었다. 반면 파르초는 보며 두 손을 모으는 것만으로도, 나부끼는 것만으로도 위안을 주는 깃발이었다.

-「깃발이 운다」

"십이 년째 같은 장소에서 노인 관절 환자가 대부분인 한의원을 운영"하는 아버지를 둔 '나'는 국방의 의무를 마친 처지로, "복학할 때까지 주어진 자유를 스스로 반납하고 복학 준비와 야식 배달"을 하고 있다. 최근 '나'의 아버지는 병원에서 성대 결절이란 진단을 받자 막대기 끝에 삼각 깃발을 매달고서 자신의 의사를 대신한다. '나'는 그런 아버지가 한의원으로 여자를 불러들여 관계하는 걸 알아차린 지 오래다. '나'가 어머니한테 성깔을 부릴 수밖에 없는 이유란, 현실을 직시하지 못한 채 "줄기 끝에 핀 보랏빛 붓꽃처럼 수줍"게 웃기만 하는 어머니를 볼 적마다 아버지의 치부를 들추고 싶은 욕구를 가까스로 억누르고 있는 탓이다. 마음이 복잡하고 울화가 치미는 '나'에게 야광 깃발을 오토바이 배달통에 꽂고서 즐기는 '코너링'은 유일한 위로이자 탈출구다. '나'가 매달고 다니는 '야광 깃발'이 인물의 불안정한 상태나 욕구 불만이 가득한 심리를 지시한다면, 성대 결절을 핑계로 깃대를 까딱여서 가족과 소통하려드는 아버지의 '삼각 깃발'은 불륜을 함구하는 그의 위선과 가부장적 폭력을 드러내는 사물인 셈이다.

자신과 아버지의 깃발 외에 '나'가 알고 있는 세 번째 깃발은 '파르초'다. '나'가 파르초를 처음 본 건 외국인 노동자들이 거주하는 컨테이너로 야식 배달을 가서였다. 그날은 수난다와 안주라마라는 두 명의 티베트인들이 '나'에게 도움을 청한 날이기도 하다. 짐승의 가죽 냄새와 화학 약품 냄새로 찌든 염색 공장에서 일하는 두 사람은, 사장이 불법 체류자라는 자신들의 약점을 이용할 목적으로 '외국인 등록증'을 뺏어 갔다고 하소연한다. 노동력을 상품으로 파는 외국인 노동자에게 외국인 등록증은 자신의 신분을 증명하고 자신의 노동력을 스스로 판매할 수 있는 도구다. 그것이 사장의 손에 있음은 그들이 노동자도,

인간적 주체로서도 아닌 전적으로 사장에 의해 운명이 결정되는 존재라는 말과도 같다. 그들은 자본주의 구조 속에 철저히 포획되어 있으되, 완전히 소외당한 상태다. 더욱이 그들은 문자 그대로 '예방적 구금'에 처해 있다. 사장이 내세우는 보호가 '긴급 사태의 특징인 법의 중지'(조르조 아감벤)를 불러오는 아이러니한 상황이 벌어진 것이다.

그러나 아버지의 불륜을 목격하고서도 한동안 그에 대해 도덕적 판단을 미루었듯, '나'는 외국인 노동자들을 상대로 사장이 횡포를 부린다는 그들의 주장을 선뜻 받아들이지 않는다. 그들에게 '나'는 잃어버리면 안 되니까 사장이 등록증을 보관했을 것이라며 궁색한 대답을 하는데 그친다. 일찍이 염색 공장 사장이 그에게 남긴 선량한 이미지로 봐서 두 사람의 말에 동조하기가 어려운 것이다. 사장은 그가 다닌 고등학교에 행사마다 초대되던 사람이다. 학교에 후원금을 내고, 교장으로부터 모범적인 기업인이라고 칭송받던 그에 관한 기억이 '나'에게는 또렷하다. 자본주의적 기업이 '도덕과 자본의 분리'에 뿌리내리고 있음을 간과한 것이다. 그렇더라도 월급을 미루고 적금을 핑계로 돈을 적게 주는 사장의 행위는 과잉대응임이 확실하다고 '나'는 판단한다.

'나'는 그러한 자신의 생각을 속으로 삼키고 만다. 실망한 그들을 뒤로한 '나'의 눈에 티베트 경전을 적어 넣은 색색의 깃발

사진이 들어온다. 파르초다. 글썽한 눈으로 "저 파르초가 우리를 지켜 줄 거다."라고 위안하는 수난다와 안주라마에게, 이제 그는 "나쁜 나라"의 "나쁜 놈"에 불과하다.

마지막까지 작가는 '나'의 야광 깃발을 가해자/피해자/방관자라는 기호들 중 어느 하나로 쉽사리 환원시키지 않는다. '나'가 아버지의 외도를 폭로하자 가해자였던 아버지는 피해자로 자신을 역전시킨다. 어느 쪽이 옳고 그름을 따진다고 해서 세상이 쉽게 바뀔 거라는 생각은 지나치게 순진한 발상이다. '선(파르초)/악(아버지의 깃발)'의 이분법적 구도 사이에 '야광 깃발'의 자리는 아직 애매하다. 이 소설이 아버지의 외도라는 진부한 모티프를 극복할 수 있었던 힘은 이렇듯 '열린 결말'과 현대인의 삶을 허위의식으로 전락시키는 수많은 기제들 중 하나를 제대로 간파한 능력에 있지 않았나 한다.

지연과 학연으로 얽힌 인간관계에 자본주의적 시장 논리가 얽혀 들고, 그 한가운데를 살아가는 주체들 삶의 양태란 소신 있는 발언을 삼가거나 타인에 대한 무관심으로 점철된다. 타인에 대한 동정과 연민이 최대 조건이 아니라 최소한의 조건이 되어버린 삶이다. 하지만 그게 현명한 삶일까? "신 없는 세계에서 여전히 선하게 행동할 수 있다고 믿는 자(에마뉘엘 레비나스)"야말로 주체라고 정의내릴 수 있다면, 타자들에 대한 마음의 기울임이 행동과 일치할 때 주체에의 완성은 이루어진다.

명백한 것은, '아버지의 깃발'로 상징되는 기성 질서의 불투명한 소통과 그와 같은 방식의 유대로는 주체적 삶이 불가능하다는 점이다.

오토바이 사고를 당한 '나'가 신음 가운데 자신의 깃발이 어디에 위치해 있는가를 질문하면서 소설은 끝을 맺는다. '나'는 "깃발은 깃대에 매달려 있을 때만 제 역할을 한다. 아무리 아우성쳐도 깃대에서 떨어져 나가면 아무 의미 없는 것이 된다."라고 진술함으로써 현실적 조건 안에서의 대응을 도모한다. 결론적으로 이 소설은 개별적 고통을 서사화하는데 목적을 두기보다, 등장인물들의 타자성에 기대어 개별적 주체의 윤리에 대해 묻고 답한다. 타자들에 대한 개인의 태도를 제시함으로써 인간 일반의 선택과 결단에 대해 이야기하기, 그것이 이선우 소설의 지표 중 하나임은 분명하다.

이선우의 소설에서 만나게 되는 인물이나 사건은 매우 다채롭다. 다양한 상황 속에서 인물들이 빚어 내는 이선우 소설의 이야기는, 일상의 이면에 자리 잡은 불안과 공포를 들추어내면서 우리를 삶의 비의와 혼란 속으로 몰아넣는다.

주목할 부분은 현실의 모순과 폭력성을 경험하는 주체의 다수가 성장기에 있는 어린아이나 청년이라는 점이다. 부모로부터 보호받지 못한 채 남자의 폭력에 시달리는 「동거」에서의 '나'는 초등학생이고, 「그 여름의 윤헤어」의 주인공인 '나' 역시 초등학교 때의 기억으로부터 한 발짝도 벗어나지 못한 정신적 어린아이이다. 그리고 「바람은 불고 싶은 데로 분다」에서 아버지가 파산하여 도망자 신세를 겪으며 피폐해져 가는 일련의 과정들을 바라보며 성장한 '나'와 「깃발이 운다」의 '나'는 이제 막 성장기의 끝에 서 있다. 이런 이유들 때문에 이선우 소설의 주체들은 이해하지 못하는 세상을 그저 겪어 낼 수밖에 없다는 면에서 비극적인 핍진성을 갖는다.

이들이 잃어버린 공동체의 결속감을 되찾고, 기만과 허위로 가득한 세상에 맞서 존재론적 변신을 할 수 있을는지는 미지수다. 그러니까 이선우의 소설은 절망과 두려움의 터널 속에 갇혔거나, 그 터널을 힘겹게 통과하고 있는 이들의 이야기다.

작가의 말

바다에서 헤엄치는 꿈을 꿨다. 질푸른 바다에서도 붉은 산호는 선명했다. 나는 그 바다에서 오래도록 헤엄쳐 다녔다. 물고기들이 나를 툭툭 건드리며 지나다녔고 그 시간이 즐겁고 행복했다. 어느 순간 두 팔에 가득 찰만한 물고기 한 마리를 품에 안았다. 품에 안은 물고기의 눈과 마주치는 순간 이상하게 손을 놓아 버리게 되었다. 내 손을 벗어난 물고기는 재빠르게 헤엄쳐 앞으로 나갔다.

잠에서 깨어난 뒤로도 꿈의 여운은 오래갔다. 내 소설도 이제 내 손에서 떠났다는 것을 알았다.

며칠 뒤 오랜만에 밭에 나가 포도를 몇 송이 땄다. 흰 봉지 속 검붉은 포도를 꺼내 들었다. 뜨거운 태양과 쏟아지는 폭우를 견뎌 내고 익은 포도송이 한 알을 떼 입에 넣었다. 잘 익은 포도송이 사이로 아직 덜 여문 여린 알갱이가 드문드문 보였다. 어쩌면…….

여덟 편의 소설은 이웃의 이야기나 내가 경험한 어떤 것들이 오래도록 내안에 남아 희미한 불빛으로 신호를 보내다 마침내 발화하여 탄생한 것들이었다. 그렇게 시작한 이야기들이 다음 문장으로 나가지 못하고 오랜 시간 제자리걸음을 할 때, 못 듣고 못 본 일이라고, 없었던 일이라고 이야기를 밀어냈다. 그래도 끝까지 이야기가 나를 떠나지 않고 배회하다가 한 편의 소설로 남아 주었다. 고맙게도.

물고기처럼 내 손을 떠난 소설들이 누구를 만날지, 뭐라고 평가 받을지 상상만으로도 떨리지만, 내가 할 수 있는 일은 힘차게 헤엄쳐 나아갈 내 소설의 등을 밀어 주고 응원하는 일밖에 없다.

소설은 겁이 많은 나에게 숨고 도망치지 말라고, 고개 돌리지 말고 앞을 보라고 가르쳤다. 내가 머무는 곳이고 앞으로도 머물 이곳에서 지치고 소외된 내 이웃의 삶에 곁을 소설로 쓰라고 가르쳤다.

헤엄쳐 가는 물고기처럼 뒤돌아보지 않고 젊은 패기로 오래도록 소설을 쓰겠다. 내게는 어제가 너무 길었다.

첫 소설부터 지금까지 내 소설을 읽고 최고라고 말해 주던 찬주에게 고마움을 전한다. 너의 선한 거짓말이 때론 약이 되었다. 소설을 쓰면서 가족에게 빚진 기분이 종종 들었다. 미안하고 또 감사하다는 말을 전하고 싶다. 해설을 맡아 주신 신상조 평론가, 실천문학 편집부에도 깊은 감사를 전한다. 오늘따라 입안에서 톡 터지는 포도 과즙이 달콤하고 새콤하다.

2017년 깊은 가을

이선우